ein Ullstein Buch

Erich Fromm

Die Kunst des Liebens

ein Ullstein Buch

Ullstein Buch Nr. 258
im Verlag Ullstein GmbH,
Frankfurt/M – Berlin – Wien
Titel der amerikanischen Originalausgabe:
The art of Loving
Autorisierte Übersetzung von Günter Eichel

Deutsche Originalausgabe

Umschlagentwurf: Kurt Weidemann
Alle Rechte vorbehalten
© 1956 by Erich Fromm
Printed in Germany 1977
Gesamtherstellung:
Ebner, Ulm
ISBN 3 548 02258 8

INHALTSVERZEICHNIS

EINFÜHRUNG

Dieses Buch ist ein Band der »Weltperspektiven«, die sich die Aufgabe stellen, kurze Schriften der verantwortlichen zeitgenössischen Denker auf verschiedenen Gebieten herauszugeben. Die Absicht ist, grundlegende neue Richtungen in der modernen Zivilisation aufzuzeigen, die schöpferischen Kräfte zu deuten, die im Osten wie im Westen am Werke sind, und das neue Bewußtsein deutlich zu machen, das zu einem tieferen Verständnis der Wechselbeziehungen zwischen Mensch und Universum, Individuum und Gesellschaft sowie der allen Völkern gemeinsamen Werte beitragen kann. Die »Weltperspektiven« repräsentieren die Weltgemeinschaft der Ideen in einem universalen Gespräch, wobei sie das Prinzip der Einheit der Menschheit betonen, der Beständigkeit in der Wandlung.

Neue Entdeckungen in vielen Bereichen des Wissens haben unvermutete Aussichten eröffnet für ein tieferes Verständnis der menschlichen Situation und für eine richtige Würdigung menschlicher Werte und Bestrebungen. Diese Aussichten, obwohl das Ergebnis nur spezialisierter Studien auf begrenzten Gebieten, erfordern zu ihrer Analyse und Synthese einen neuen Rahmen, in dem sie erforscht, bereichert und in all ihren Aspekten zum Wohle des Menschen und der Gesellschaft gefördert werden können. Solch einen Rahmen zu bestimmen, sind die »Weltperspektiven« bemüht, in der Hoffnung, zu einer Lehre vom Menschen zu führen.

Eine Absicht dieser Reihe ist auch der Versuch, ein Grundübel der Menschheit zu überwinden, nämlich die Folgen der Atomisierung der Wissenschaft, die durch das überwältigende Anwachsen der Fakten entstanden ist, die die Wissenschaft ans Licht brachte; ferner: Ideen durch eine Befruchtung der Gei-

ster zu klären und zu verbinden, von verschiedenen Gesichtspunkten aus die gegenseitige Abhängigkeit von Gedanken, Fakten und Werten in ihrer beständigen Wechselwirkung zu zeigen; die Art, Verwandtschaft, Logik und Bewegung des gesamten Organismus der Wirklichkeit zu demonstrieren, indem sie den dauernden Zusammenhang der Prozesse des Menschengeistes zeigt, und so die innere Synthese und die organische Einheit des Lebens selbst zu enthüllen.

Die »Weltperspektiven« sind überzeugt, daß trotz der Unterschiede und Streitfragen der hier dargestellten Disziplinen eine starke Übereinstimmung der Autoren besteht hinsichtlich der überwältigenden Notwendigkeit, die Fülle zwingender wissenschaftlicher Ergebnisse und der Untersuchungen objektiver Phänomene von der Physik bis zur Metaphysik, Geschichte und Biologie zu sinnvoller Erfahrung zu verbinden.

Um dieses Gleichgewicht zu schaffen, ist es notwendig, die grundlegende Tatsache ins Bewußtsein zu rufen: daß letztlich die individuelle menschliche Persönlichkeit all die losen Fäden zu einem organischen Ganzen verknüpfen und sich zu sich selbst, der Menschheit und Gesellschaft in Beziehung setzen muß, während sie ihre Gemeinschaft mit dem Universum vertieft und steigert. Diesen Geist zu verankern und ihn dem intellektuellen und spirituellen Leben der Menschheit, Denkenden wie Handelnden gleicherweise, tief einzuprägen, ist tatsächlich eine große, wichtige Aufgabe und kann weder gänzlich der Naturwissenschaft noch der Religion überlassen werden. Denn wir stehen der unabweisbaren Notwendigkeit gegenüber, ein Prinzip der Unterscheidung und dennoch Verwandtschaft zu entdecken, das klar genug ist, um Naturwissenschaft, Philosophie und jede andere Kenntnis zu rechtfertigen und zu läutern, indem es ihre gegenseitige Abhängigkeit annimmt. Dies ist die Krisis im Bewußtsein, die durch die Krisis der Wissenschaft deutlich wird. Dies ist das neue Erwachen.

Die »Weltperspektiven« wollen beweisen, daß grundlegendes theoretisches Wissen mit dem dynamischen Inhalt der Ganzheit des Lebens verbunden ist. Sie sind der neuen Synthese gewidmet, die Erkenntnis und Intuition zugleich ist. Sie befassen sich mit der Erneuerung der Wissenschaft in bezug auf die Natur des Menschen und sein Verständnis, eine Aufgabe für die synthetische Imagination und ihre einigenden Ausblicke. Diese Situation des Menschen ist neu, und darum muß auch seine Antwort darauf neu sein. Denn die Natur des Menschen ist auf vielen Wegen erkennbar, und all diese Pfade der Erkenntnis sind zu verknüpfen, und manche sind miteinander verknüpft wie ein großes Netz, ein großes Netz zwischen Menschen, zwischen Ideen, zwischen Systemen der Erkenntnis, eine Art rational gedachter Struktur, die menschliche Kultur und Gesellschaft bedeutet.

Wissenschaft, das wird in dieser Bücherreihe gezeigt, besteht nicht mehr darin, Mensch und Natur als gegensätzliche Mächte zu behandeln, auch nicht in der Reduzierung von Tatsachen auf eine statistische Ordnung, sondern sie ist ein Mittel, die Menschheit von der destruktiven Gewalt der Furcht zu befreien und ihr den Weg zum Ziel der Rehabilitierung des menschlichen Willens, der Wiedergeburt des Glaubens und Vertrauens zu weisen. Diese Bücherreihe will auch klarmachen, daß der Schrei nach Vorbildern, Systemen und Autoritäten weniger dringlich wird in dem Maße, wie im Osten und Westen der Wunsch nach Wiederherstellung einer Würde, Lauterkeit und Selbstverwirklichung stärker wird, die unveräußerliche Rechte des Menschen sind. Denn er ist keine Tabula rasa, der durch äußere Umstände alles willkürlich aufgeprägt werden kann, sondern er besitzt die einzigartige Möglichkeit der freien Schöpferkraft. Dadurch unterscheidet sich der Mensch von den anderen Formen des Lebens, daß er im Lichte rationaler Erfahrung mit bewußter Zielsetzung Wandel schaffen kann.

Die »Weltperspektiven« planen, Einblick in die Bedeutung des Menschen zu gewinnen, der nicht nur durch die Geschichte bestimmt wird, sondern selbst die Geschichte bestimmt. Geschichte soll dabei so verstanden werden, daß sie sich nicht nur mit dem Leben des Menschen auf diesem Planeten beschäftigt, sondern auch die kosmischen Einflüsse umfaßt, die unsere Menschenwelt durchdringen. Die jetzige Generation entdeckt, daß die Geschichte nicht den sozialen Optimismus der modernen Zivilisation bestätigt und daß die Organisation menschlicher Gemeinschaften und die Setzung von Freiheit, Gerechtigkeit und Frieden nicht nur intellektuelle Taten, sondern auch geistige und moralische Werke sind. Sie verlangen die Pflege der Ganzheit menschlicher Persönlichkeit, die »spontane Ganzheit von Fühlen und Denken«, und stellen eine unaufhörliche Forderung an den Menschen, der aus dem Abgrund von Sinnlosigkeit und Leiden emporsteigt, um in der Ganzheit seines Daseins erneuert und vollendet zu werden.

Die »Weltperspektiven« sind sich dessen bewußt, daß allen großen Wandlungen eine lebendige geistige Neubewertung und Reorganisation vorangeht. Unsere Autoren wissen, daß man die Sünde der Hybris vermeiden kann, indem man zeigt, daß der schöpferische Prozeß selbst nicht frei ist, wenn wir unter frei willkürlich oder unverbunden mit dem kosmischen Gesetz verstehen. Denn der schöpferische Prozeß im Menschengeist, der Entwicklungsprozeß in der organischen Natur und die Grundgesetze im anorganischen Bereich sind vielleicht nur verschiedene Ausdrücke eines universalen Formungsprozesses. So hoffen die »Weltperspektiven« auch zu zeigen, daß in der gegenwärtigen apokalyptischen Periode, obwohl voll von außerordentlichen Spannungen, doch auch eine ungewöhnliche Bewegung zu einer kompensierenden Einheit hin am Werke ist, welche die sittliche Urkraft nicht stören kann, die das Universum durchdringt, diese Kraft, auf die sich jede menschliche Anstrengung schließlich stützen muß. Auf diesem Wege gelangen wir vielleicht zum Verständnis dafür, daß eine Unabhängigkeit geistigen Wachstums existiert, die wohl durch Umstände bedingt, doch niemals von den Umständen bestimmt wird. Auf diese Art mag der große Überfluß menschlichen Wissens in Wechselbeziehung gebracht werden zur Einsicht in das Wesen der menschlichen Natur, indem man ihn auf den tiefen und vollen Klang menschlicher Gedanken und Erfahrungen abstimmt. Denn was uns fehlt, ist nicht das Wissen um die Struktur des Universums, sondern das Bewußtsein von der qualitativen Einzigartigkeit menschlichen Lebens.

Und endlich ist das Thema dieser »Weltperspektiven«, daß

der Mensch im Begriff ist, ein neues Bewußtsein zu entwickeln, das trotz scheinbarer geistiger und moralischer Knechtschaft das Menschengeschlecht vielleicht über die Furcht, die Unwissenheit, die Brutalität und die Isolierung erheben kann, die es heute bedrücken. Diesem entstehenden Bewußtsein, diesem Begriff des Menschen, aus einer neuen Sicht der Wirklichkeit geboren, sind die »Weltperspektiven« gewidmet.

Ruth Nanda Anshen

VORWORT

Die Lektüre dieses Buches wird eine Enttäuschung für alle Leser sein, die sich von ihm eine leichtfaßliche Unterrichtung in der Kunst des Liebens erwarten. Das Buch möchte ganz im Gegenteil zeigen, daß Liebe nicht ein Gefühl ist, dem man sich einfach hinzugeben braucht, ungeachtet dem Grad der Reife, den man erreicht hat; es möchte den Leser überzeugen, daß jeder Versuch der Liebe fehlschlagen muß, solange man sich nicht bemüht, die eigene Gesamtpersönlichkeit zu entwickeln und damit zu einer schöpferischen Orientierung zu gelangen, und daß man in der individuellen Liebe keine Befriedigung finden wird, solange man nicht imstande ist, seinen Nächsten zu lieben und dies wirklich demütig, mutig, ehrlich und diszipliniert tut. Jeder mag sich selbst die Frage stellen, wie viele Menschen er kennt, die wirklich voll und echt zu lieben fähig sind.

Dennoch sollte die Schwierigkeit dieser Aufgabe noch lange kein Grund sein, gar nicht erst den Versuch zu machen, die Gründe für diese Schwierigkeiten zu suchen und die Bedingungen zu ihrer Überwindung zu verstehen. Um dieses Problem nicht unnötig zu komplizieren, habe ich mich bemüht, es in einer Sprache zu behandeln, die weitmöglichst von fachlichen Ausdrücken unbelastet ist. Aus dem gleichen Grunde habe ich nur ein Mindestmaß an Hinweisen auf die entsprechende Literatur gegeben.

Für ein anderes Problem habe ich allerdings keine völlig befriedigende Lösung gefunden. Damit meine ich besonders die Wiederholung von Gedanken, die bereits in meinen früheren Veröffentlichungen zu finden sind. Der Leser, der meine Bücher *Die Furcht vor der Freiheit* und *Psychoanalyse und Ethik* kennt, wird hier eine Reihe von Gedanken antreffen, die bereits in den genannten Werken enthalten sind. *Die Kunst des Liebens* ist jedoch keineswegs eine bloße Zusammenfassung; dieses Buch bringt eine Folge von Gedanken, die jenseits der früher dargestellten liegen, und es ist nur natürlich, daß auch ältere Gedanken allein dadurch eine neue Perspektive bekommen, daß sie jetzt um ein einziges Thema kreisen: um die Kunst des Liebens.

E. F.

Der, der nichts weiß, liebt nichts. Der, der nichts kann, versteht nichts. Der, der nichts versteht, ist wertlos. Der aber, der versteht, liebt und erkennt und sieht... Je mehr Wissen mit einer Sache verbunden ist, desto größer ist die Liebe... Wenn einer glaubt, daß alle Früchte zur gleichen Zeit reif sind wie die Erdbeeren, versteht er nichts von den Weintrauben.

Paracelsus

I.

IST LIEBEN EINE KUNST?

Ist Lieben eine Kunst? Dann erfordert es Wissen und Bemühung. Oder ist Lieben nur ein angenehmes Gefühl, das zu verspüren nur eine Sache des Zufalls ist, etwas, dem man »verfällt«, wenn man Glück hat? Dieses kleine Buch basiert auf der erstgenannten Annahme, während die Mehrheit der Menschen zweifellos an die zweite Annahme glaubt.

Diese Menschen sind keineswegs der Ansicht, daß Lieben nicht wichtig sei. Sie sind vielmehr voller Verlangen nach Liebe; sie sehen sich eine endlose Zahl von Filmen mit glücklichen und unglücklichen Liebesgeschichten an, sie lauschen Hunderten alberner Lieder über die Liebe — und dennoch glaubt keiner, daß es irgend etwas gibt, das man über das Lieben lernen müßte.

Diese sonderbare Haltung beruht auf verschiedenen Voraussetzungen, die einzeln oder gemeinsam diese Haltung noch stützen. Die meisten Menschen sehen in dem Problem des Liebens in erster Linie das Problem, *selbst geliebt zu werden*, und nicht so sehr das Problem des Liebens, der eigenen Fähigkeit *zu lieben*. Demnach heißt für sie das Problem: Werde ich geliebt — wie kann ich liebenswert sein? Um zu diesem Ziel zu gelangen, schlagen sie verschiedene Wege ein. Der eine, der besonders von Männern verfolgt wird, ist der Versuch, so erfolgreich, so mächtig und so reich zu sein, wie es der soziale Spielraum der eigenen Position nur zuläßt. Ein anderer, mehr von Frauen begangen, ist der Versuch, möglichst attraktiv zu wirken, was sich durch Körperpflege, Kleidung usw. erreichen läßt. Andere Möglichkeiten, die zu diesem Zweck sowohl von Männern als auch von Frauen angewandt werden, sind nette Manieren, interessante Unterhaltungen, Hilfsbereitschaft, Bescheidenheit und Zurückhaltung. Viele Wege, sich selbst liebenswert zu machen, gleichen jenen, die man einschlägt, um erfolgreich zu sein, »um Freunde zu gewinnen und andere Menschen zu beeinflussen«. Tatsache ist, daß das, was die meisten Menschen unserer Gesellschaft unter »liebenswert« verstehen, im wesentlichen nur eine Mischung von zwei Tendenzen ist: populär zu sein und Sexappeal zu haben.

Eine zweite Voraussetzung, die hinter der Annahme steht, daß es im Zusammenhang mit der Liebe nichts zu lernen gäbe, ist die Ansicht, daß das Problem des Liebens das Problem eines *Objekts*, nicht aber das Problem einer *Fähigkeit* ist. Die Menschen glauben, daß das Lieben selbst sehr einfach sei, daß es jedoch sehr schwer wäre, das richtige Objekt zum Lieben — oder zum Geliebtwerden — zu finden. Diese Annahme hat verschiedene Gründe, die in der Entwicklung der modernen Gesellschaft wurzeln. Ein Grund ist die große Veränderung, die im zwanzigsten Jahrhundert hinsichtlich der Wahl des »Liebesobjektes« eintrat. Im neunzehnten Jahrhundert war die Liebe in vielen überlieferten Kulturen zumeist kein spontanes persönliches Erlebnis, die später vielleicht zu einer Ehe führte. Im Gegenteil: Die Ehe wurde vertraglich festgelegt und durchgeführt — entweder durch die beteiligten Familien, durch einen Ehevermittler oder auch ohne die Hilfe derartiger Vermittlungen. Sie wurde auf der Basis gesellschaftlicher Überlegungen geschlossen, und man war der Ansicht, daß die Liebe sich von selbst entwickeln würde, wenn die Ehe geschlossen sei. Im Laufe der letzten Jahrzehnte ist jedoch der Begriff der romantischen Liebe in der westlichen Welt fast allgemein anerkannt worden. Obgleich Überlegungen konventioneller Art in den Vereinigten Staaten nicht völlig fehlen, suchen die Menschen auch hier zumeist nach der »romantischen Liebe«, nach dem persönlichen Liebeserlebnis, das dann zur Ehe führt. Dieses neue Konzept von der Freiheit der Liebe muß die Bedeutung des *Objekts* — im Gegensatz zur Bedeutung der *Funktion* — noch bedeutend gesteigert haben.

Mit diesem Faktor hängt noch ein anderer Zug eng zusammen, der für die zeitgenössische Kultur charakteristisch ist. Unsere ganze Kultur basiert auf der Kauflust, auf der Vorstellung eines für beide Seiten günstigen Austausches. Das Glück des modernen Menschen liegt in dem Vergnügen, sich die Schaufenster anzusehen und das zu kaufen, was zu kaufen er sich leisten kann, entweder gegen Barzahlung oder auf Raten. Er (oder sie) sieht sich die Mitmenschen in ganz ähnlicher Weise an. Für den Mann ist ein attraktives Mädchen, für die Frau ist ein attraktiver Mann das, was man sucht. »Attraktiv« bedeutet gewöhnlich ein nettes Bündel von Eigenschaften, die beliebt und auf dem Persönlichkeitsmarkt im Augenblick gefragt sind. Was einen Menschen insbesondere attraktiv macht, hängt von der jeweiligen Mode ab, und zwar sowohl in physischer als auch in geistiger Hinsicht. In den zwanziger Jahren galt ein rauchendes und trinkendes Mädchen, das einen zwielichtigen Eindruck machte und »sexy« war, als attraktiv; heute sind Häuslichkeit und Zurückhaltung mehr gefragt. Am Ende des neunzehnten und zu Beginn des zwanzigsten Jahrhunderts mußte der Mann aggressiv und ehrgeizig sein, um attraktiv zu wirken — heute dagegen verlangt man von ihm, daß er sozial und tolerant sei. Jedenfalls entwickelt sich das Gefühl des Verliebens gewöhnlich nur im Hinblick auf jene menschlichen Artikel, die innerhalb der eigenen Tauschmöglichkeiten liegen. Ich will einen Handel vornehmen; das Objekt soll aber nicht nur vom Standpunkt des gesellschaftlichen Wertes erstrebenswert sein, sondern mich zu gleicher Zeit ebenfalls haben wollen, und zwar sowohl wegen meiner offensichtlichen als auch wegen meiner nicht erkennbaren Aktiva. Zwei Personen verlieben sich also ineinander, wenn sie das Gefühl haben, das geeignetste auf dem Markt verfügbare Objekt gefunden zu haben, unter Berücksichtigung der Grenzen ihres eigenen Tauschwertes. Wie beim Grundstückskauf spielen auch die verborgenen Werte, die entwicklungsfähig sind, bei diesem Handel eine beträchtliche Rolle. In einer Kultur, in der der kaufmännische Sinn vorherrscht und in der der materielle Erfolg von überragendem Wert ist, gibt es eigentlich keinen Grund, davon überrascht zu sein, daß die menschlichen Liebesbeziehungen den gleichen Grundzügen folgen, die den Waren- und den Arbeitsmarkt beherrschen.

Der dritte Irrtum, der zu der Annahme führt, daß es in der Liebe nichts zu lernen gäbe, liegt in der Verwirrung, die zwischen dem anfänglichen Erlebnis des Verliebens und dem dauerhaften Stadium des Liebens herrscht; deutlicher wird der Unterschied zwischen diesen beiden Begriffen, wenn wir die entsprechenden englischen Bezeichnungen »*falling in love*« und »*being in love*« dafür nehmen. Wenn zwei Menschen, die sich — wie wir alle — bisher als Fremde gegenüberstanden, plötzlich zulassen, daß die zwischen ihnen stehende Wand zusammenbricht, und sich einander zugehörig, als eins fühlen, gehört dieser Augenblick der Einheit zu den freudigsten und erregendsten Erlebnissen. Noch wunderbarer und unbegreiflicher ist er für Menschen, die bisher abgeschnitten, isoliert und ohne Liebe lebten. Dieses Wunder der plötzlichen Vertrautheit wird häufig dadurch erleichtert, daß es mit sexueller Anziehung und Vereinigung verbunden ist oder durch sie überhaupt erst ausgelöst wird. Diese Art der Liebe ist jedoch ihrem ganzen Wesen nach nicht von Dauer. Die beiden Menschen lernen sich zwar gründlich kennen, aber ihre Vertrautheit verliert immer mehr von ihrem wundervollen Charakter, bis Auseinandersetzungen, Enttäuschungen und gegenseitige Langeweile alles abtöten, was von dem anfänglichen Reiz übriggeblieben ist. Am Anfang ist sich jedoch niemand darüber klar; Tatsache ist, daß man die Intensität der Vernarrtheit, dieses gegenseitigen »Verrücktseins« nach dem anderen, als Beweis für die Intensität der Liebe hält, während es doch nicht mehr ist als der Beweis für den Grad der vorhergegangenen Einsamkeit.

Diese Annahme — daß nichts leichter sei als die Liebe — ist immer noch die vorherrschende Vorstellung, obgleich das Gegenteil in überwältigendem Umfang bewiesen ist. Es gibt kaum eine Aktivität, kaum ein Unternehmen, das mit derartig ungeheuren Hoffnungen und Erwartungen begonnen wird und mit derart großer Regelmäßigkeit fehlschlägt. Bei jeder anderen Tätigkeit würden die Menschen alles nur mögliche versuchen, um die Gründe für diesen Fehlschlag herauszufinden und zu lernen, wie sie es besser machen könnten; oder sie würden damit einfach Schluß machen. Da letzteres im Falle der Liebe nicht möglich ist, scheint es nur einen entsprechenden Weg zu geben, das Fehlschlagen der Liebe zu überwinden: die Gründe dafür zu prüfen und darüber hinaus zu versuchen, die Bedeutung der Liebe zu untersuchen.

Der erste Schritt dazu ist die Erkenntnis, *daß die Liebe eine Kunst ist*; wenn man die Liebe erlernen will, muß man genauso vorgehen, als wolle man irgendeine andere Kunst — zum Beispiel Musik, Malerei, Tischlerei oder die Kunst der Medizin oder der Technik — erlernen.

Welches sind jedoch die notwendigen Schritte zur Erlernung irgendeiner Kunst?

Den Vorgang der Erlernung einer Kunst kann man leicht in zwei Teile unterteilen: einmal in die Beherrschung der Theorie und zum zweiten in die Beherrschung der Praxis. Wenn man die Kunst der Medizin erlernen will, muß man zuerst die Tatsachen über den menschlichen Körper und die verschiedenen Erkrankungen kennen. Mit diesem theoretischen Wissen ist man jedoch noch keineswegs in der Lage, die Kunst der Medizin auszuüben. Zu einem Meister wird man auch in dieser Kunst erst, wenn man sie lange Zeit hindurch praktisch ausgeübt hat, bis also die Ergebnisse des theoretischen Wissens und die Ergebnisse der Praxis miteinander verschmelzen — in die Intuition, das Wesentliche in der Beherrschung jeder Kunst. Abgesehen vom Erlernen der Theorie und der Praxis ist jedoch ein dritter Faktor notwendig, um zum Meister jeder Kunst zu werden: Die Meisterschaft in der Kunst muß dem Betreffenden wichtiger sein als alles andere; für ihn darf es nichts geben, was ihn stärker interessiert. Dies gilt für die Musik, für die Medizin, für die Bildhauerei — und für die Liebe. Und hier liegt vielleicht die Antwort auf die Frage, warum die Menschen unserer Gesellschaft so selten versuchen, diese Kunst zu erlernen, obwohl sie immer wieder neue Fehlschläge erleben. Trotz der tief-verwurzelten Sehnsucht nach Liebe hält man fast alle übrigen Dinge für wichtiger als sie: Erfolg, Prestige, Geld, Macht. Beinahe unsere ganze Energie brauchen wir dazu, um zu lernen, wie man diese Ziele erreicht, und fast nichts verwenden wir, um die Kunst des Liebens zu erlernen.

Ist es möglich, daß nur die Erlernung jener Dinge lohnt, mit denen man Geld oder Prestige erwerben kann, und daß die Liebe — die »nur« der Seele nutzt, im modernen Sinn sonst aber nutzlos ist — ein Luxus bedeutet, für den Energie aufzuwenden wir kein Recht haben? Wie dem auch sei: Die folgende Diskussion wird die Kunst des Lie-bens im Sinne der bereits genannten Unterteilungen be-handeln. Zuerst werde ich mich mit der Theorie der Liebe befassen, und dazu brauchen wir den größten Teil dieses Buches; dann werde ich über die Praxis der Liebe spre-chen, soweit man über die Praxis dieses wie irgendeines anderen Gebietes überhaupt *sprechen* kann.

II.

DIE THEORIE DER LIEBE

1. Liebe, die Antwort auf das Problem
der menschlichen Existenz

Jede Theorie der Liebe muß mit einer Theorie vom Menschen, von der menschlichen Existenz beginnen. Soweit wir die Liebe oder vielmehr das Äquivalent von Liebe bei Tieren vorfinden, handelt es sich dabei hauptsächlich um einen Teil der instinktiven Anlage; beim Menschen erkennt man nur noch Reste dieser instinktiven Befähigung. Wesentlich an der Existenz des Menschen ist die Tatsache, daß er sich über das Tierreich, daß er sich über die instinktive Anpassung erhoben hat und daß er die Natur transzendiert — obgleich er sie niemals ganz verlassen kann. Er bleibt ein Teil von ihr; und dennoch von ihr losgerissen, kann er nicht mehr mit ihr eins werden. Vertrieben aus dem Paradies, aus dem Stadium der ursprünglichen Einheit mit der Natur, versperren ihm die Cherubim mit dem Flammenschwert den Weg, falls er jemals versuchen sollte, dorthin zurückzukehren. Der Mensch kann nur immer weitergehen, indem er seine Vernunft entwickelt, indem er eine neue, eine menschliche Harmonie an Stelle jener vormenschlichen Harmonie findet, die unwiederbringlich verloren ist.

Mit der Geburt ist der Mensch — und zwar sowohl die

menschliche Rasse als auch das menschliche Einzelwesen —
aus der einen Situation, die festgelegt war wie die In-
stinkte, in eine andere gestoßen worden, die unbestimmt,
ungewiß und völlig offen ist. Gewißheit gibt es nur über
die Vergangenheit — und über die Zukunft nur insofern,
als sie mit dem Tode endet.

Der Mensch ist mit Vernunft begabt; er ist *das Leben,
das sich seiner selbst bewußt ist.* Er ist sich seiner selbst,
seiner Mitmenschen, seiner Vergangenheit und der Möglichkeiten seiner Zukunft bewußt. Dieses Bewußtsein seines gesonderten Daseins, das Bewußtsein seiner eigenen
kurzen Lebensspanne und der Tatsache, daß er ohne seinen Willen geboren ist und gegen seinen Willen sterben
wird, daß er vor jenen sterben wird, die er liebt, oder daß
sie vor ihm sterben werden, das Bewußtsein seiner Einsamkeit und Getrenntheit, seiner Hilflosigkeit gegenüber
den Kräften der Natur und der Gesellschaft — das alles
läßt seine besondere und abgetrennte Existenz zu einem
unerträglichen Gefängnis werden. Er würde wahnsinnig
werden, könnte er sich nicht selbst aus seinem Gefängnis
befreien und es sprengen, könnte er sich nicht in dieser
oder jener Form mit Menschen, mit der Umwelt vereinen.

Das Erlebnis dieser Getrenntheit und Abgesondertheit
löst Angst aus; tatsächlich ist sie die Quelle jeder Angst.
Getrenntheit bedeutet, abgeschnitten zu sein, ohne jede
Fähigkeit zu sein, die menschlichen Kräfte zu gebrauchen;
es bedeutet, hilflos zu sein, die Welt — Dinge wie Menschen — nicht fassen zu können. Es bedeutet, daß die Welt
mich überschwemmen kann, ohne daß ich in der Lage bin,
darauf zu reagieren. So wird die Getrenntheit die Quelle
heftiger Angst; aber darüber hinaus löst sie Scham

und das Gefühl von Schuld aus. Dieses Erlebnis von Schuld und Scham in der Getrenntheit wird in der biblischen Geschichte von Adam und Eva ausgedrückt. Nachdem Adam und Eva vom »Baum der Erkenntnis von Gut und Böse« gegessen hatten, nachdem sie ungehorsam gewesen waren (und Gut und Böse gibt es nur bei der Freiheit zum Ungehorsam), nachdem sie dadurch Menschen geworden waren, daß sie sich von der ursprünglichen tierischen Harmonie mit der Natur lösten, das heißt also nach ihrer Geburt als menschliche Geschöpfe — da erst sahen sie, »daß sie nackt waren, und sie schämten sich«. Sollen wir annehmen, daß ein so alter und elementarer Mythus wie dieser die gleiche zimperliche Moral hat wie das 19. Jahrhundert und daß der wichtige Punkt, von dem uns diese Geschichte überzeugen will, nur die Verlegenheit darüber ist, daß ihre Geschlechtsteile sichtbar waren? Das kann kaum wohl so sein, und wenn wir die Geschichte in diesem Sinne verstehen, übersehen wir dabei den Hauptpunkt, der aus folgendem zu bestehen scheint: Nachdem Mann und Frau sich selbst und des anderen bewußt geworden waren, wurden sie sich auch ihrer Getrenntheit und ihres Unterschiedes bewußt, insofern sie verschiedenen Geschlechtern angehörten. Da sie jedoch ihre Abgesondertheit erkannten, blieben sie einander fremd, weil sie noch nicht gelernt hatten, sich gegenseitig zu lieben — was sehr deutlich aus der Tatsache hervorgeht, daß Adam sich verteidigt, indem er Eva die Schuld zuschiebt, und nicht versucht, sie zu verteidigen. *Das Bewußtsein der menschlichen Getrenntheit ohne Wiedervereinigung durch Liebe — das ist die Quelle der Scham. Gleichzeitig ist es die Quelle von Schuld und Angst.*

Für den Menschen ist es also die größte Notwendigkeit, seine Abgesondertheit zu überwinden und den Kerker seiner Einsamkeit zu verlassen. Das *völlige* Versagen bei der Erreichung dieses Zieles bedeutet Wahnsinn, weil das panische Entsetzen vor der vollständigen Isolierung nur durch ein derart radikales Zurückziehen von der Umwelt überwunden werden kann, daß das Gefühl der Getrenntheit verschwindet — weil die Umwelt, von der man getrennt ist, verschwunden ist.

Der Mensch — aller Zeiten und Kulturen — steht der Lösung dieser einen und immer gleichen Frage gegenüber: der Frage, wie die Getrenntheit überwunden, wie man das eigene individuelle Leben transzendieren und eins werden kann. Die gleiche Frage gilt für den primitiven Höhlenbewohner, für den Nomaden, für den ägyptischen Bauern, für den phönizischen Händler, für den römischen Soldaten, für den Mönch des Mittelalters, für den japanischen Samurai, für den modernen Büroangestellten und den Fabrikarbeiter. Die Frage ist immer die gleiche, denn sie entspringt dem gleichen Boden: der menschlichen Situation, den Bedingungen der menschlichen Existenz. Die Antwort dagegen ist nicht immer gleich. Die Frage kann durch das Anbeten von Tieren beantwortet werden, durch Menschenopfer oder militärische Eroberungen, durch Befriedigung im Luxus, durch asketischen Verzicht, durch besessene Arbeit, durch künstlerische, schöpferische Arbeit, durch die Liebe zu Gott oder zu den Menschen. Obwohl es viele Antworten gibt — eine genaue Aufstellung dieser Antworten ergibt die Menschengeschichte —, sind sie doch nicht zahllos. Im Gegenteil: Sobald man die kleineren Unterschiede außer acht läßt, die mehr an den Rand als zum Kern gehören, stellt man fest, daß die Anzahl der Antworten begrenzt ist, die auf diese Frage gegeben werden kann und die vom Menschen in den verschiedenen Kulturen, in denen er gelebt hat, auch nur gegeben werden konnte. Die Geschichte der Religion und der Philosophie ist die Geschichte dieser Antworten, ihrer Vielfalt und genauso auch ihrer zahlenmäßigen Begrenzung.

In gewissem Umfang hängt die Antwort jeweils von dem Grad der Individualität ab, die ein Individuum erreicht hat. In einem Kind hat das »Ich« sich noch kaum entwickelt; jedes Kind fühlt sich eins mit seiner Mutter und hat noch kein Gefühl der Getrenntheit, solange die Mutter bei ihm ist. Sein Gefühl des Alleinseins wird durch die physische Gegenwart der Mutter, durch ihre Brust und die Berührung ihrer Haut beschwichtigt. Erst in einem Stadium, in welchem das Kind das Gefühl für seine Getrenntheit und seine Individualität weiterentwickelt hat, genügt die physische Gegenwart der Mutter nicht mehr und entsteht die Notwendigkeit, die eigene Abgesondertheit auf andere Weise zu überwinden.

In ganz ähnlicher Weise fühlt sich auch die menschliche Rasse in ihrem Kindheitsstadium noch eins mit der Natur. Die Erde, die Tiere und Pflanzen sind noch die Welt des Menschen. Er identifiziert sich mit Tieren, und dies drückt sich darin aus, daß er sich als Tier verkleidet, daß er ein Totemtier oder andere Tiergötter anbetet. Je mehr sich jedoch die menschliche Rasse von diesen ursprünglichen Bindungen löst, desto mehr trennt sie sich von der Naturwelt, desto intensiver wird die Notwendigkeit, neue Möglichkeiten zu finden, um der Getrenntheit zu entfliehen.

Eine Möglichkeit zur Erreichung dieses Zieles liegt in den verschiedenen Arten *orgiastischer Erlebnisse.* Sie können die Form einer selbst ausgelösten Trance — manchmal mit Hilfe von Drogen — haben. Viele Riten primitiver Stämme bieten eine lebendige Vorstellung von dieser Art, das Problem zu lösen. In einem vorübergehenden Stadium der Ekstase verschwindet die Umwelt und damit auch das Gefühl der Getrenntheit von ihr. Soweit diese Riten gemeinsam praktiziert werden, kommt das Erlebnis der engen Vereinigung mit der Gruppe hinzu, so daß die Wirkung noch gesteigert wird. In einem engen Zusammenhang, und oft mit dieser orgiastischen Lösung vermischt, steht das Sexualerlebnis. Die sexuelle Orgie kann zu einem Stadium führen, das dem sehr ähnlich ist, welches durch Trance oder mit Hilfe bestimmter Drogen hervorgerufen wird. Die Riten gemeinsamer sexueller Orgien waren weit verbreitet. Es hat den Anschein, daß der Mensch nach diesem orgiastischen Erlebnis eine Zeitlang nicht so stark unter seiner Getrenntheit zu leiden hatte. Langsam wächst dann jedoch die Spannung der Angst wieder, so daß sie durch eine Wiederholung des Rituals vermindert werden muß.

Solange diese orgiastischen Erlebnisse eine Angelegenheit gemeinsamer Handlungen eines ganzen Stammes sind, rufen sie weder Angst noch Schuldgefühl hervor. Ein derartiges Verhalten ist »richtig« und sogar eine Tugend, weil alle an ihm teilnehmen und weil es von den Medizinmännern oder Priestern nicht nur gebilligt, sondern sogar gefördert wird. Daher besteht auch kein Anlaß, sich schuldig oder beschämt zu fühlen. Etwas ganz anderes ist es jedoch, wenn die gleiche Lösung des Problems von einem Individuum in einer Kultur gewählt wird, die diese gemeinsamen Riten bereits hinter sich gelassen hat. Alkohol und Rauschgift sind die Formen, die das Individuum in einer nicht-orgiastischen Kultur wählt. Im Gegensatz zu jenen Menschen, die an einer in ihrer Gesellschaftsform festgelegten Lösungsart teilnehmen, leiden diese Individuen an Schuldgefühlen und Gewissensbissen. Während sie versuchen, ihrer Getrenntheit durch die Flucht in den Alkohol oder zu bestimmten Drogen zu entgehen, verspüren sie nach dem orgiastischen Erlebnis ihre Abgesondertheit nur noch stärker und werden so getrieben, es mit zunehmender Häufigkeit und Intensität zu wiederholen. In gewissem Maße ist das orgiastische Sexualerlebnis eine natürliche und normale Form, die Getrenntheit zu überwinden, und auch eine teilweise Lösung des Problems der Einsamkeit. Bei vielen Individuen, die das Gefühl ihrer Getrenntheit nicht auf andere Weise dämpfen können, nimmt das Verlangen nach der sexuellen Orgie jedoch eine Bedeutung an, die von der Sucht nach Alkohol oder Rauschgift nicht allzu verschieden ist. Sie wird zu dem verzweifelten Versuch, der durch die Getrenntheit erzeugten Angst zu entkommen, und resultiert in einem immer stärker werdenden Gefühl der Einsamkeit, da der ohne Liebe vollzogene Geschlechtsakt die Kluft zwischen zwei menschlichen Wesen höchstens für einen kurzen Augenblick überbrücken kann.

Alle Formen der orgiastischen Vereinigung haben drei Kennzeichen: Sie sind intensiv und sogar heftig, beanspruchen die Gesamtpersönlichkeit — also Körper *und* Seele — und werden regelmäßig wiederholt, da ihre Wirkung schnell vergeht. Genau das Gegenteil gilt für jene

Form der Gemeinsamkeit, die der Mensch der Vergangenheit wie auch der Gegenwart am häufigsten zur Lösung des Problems wählte: die Vereinigung, die auf der Konformität mit der Gruppe beruht, mit ihren Bräuchen, Gewohnheiten und Meinungen. Auch hier finden wir eine beträchtliche Entwicklung vor.

In einer primitiven Gesellschaft ist die Gruppe nur klein; sie besteht aus jenen Menschen, die durch Blutsverwandtschaft und Zusammenleben miteinander verbunden sind. Mit zunehmender Entwicklung der Kultur wächst auch die Gruppe; sie wird zu der Bürgerschaft einer *polis*, zu den Bürgern eines großen Staates und zu den Mitgliedern einer Kirche. Selbst der ärmste Römer war stolz, weil er sagen konnte: »*Civis romanum sum!*« Rom und das römische Imperium waren seine Familie, seine Heimat und seine Welt. Auch in der gegenwärtigen Gesellschaft des Westens ist die Vereinigung mit der Gruppe die vorherrschende Möglichkeit, die Getrenntheit zu überwinden. Es ist eine Vereinigung, in der das Individuum zu einem großen Teil aufgeht und bei der es das Ziel ist, der Herde anzugehören. Wenn ich genauso bin wie alle anderen, wenn ich weder Gefühle noch Gedanken habe, die mich von ihnen unterscheiden, wenn ich in Bräuchen, Kleidung, Vorstellungen mit dem Vorbild der Gruppe übereinstimme, bin ich gerettet, gerettet vor dem entsetzlichen Erlebnis der Einsamkeit. Die diktatorischen Staatsformen gebrauchen Drohungen und Terror, um diese Übereinstimmung auszulösen, die Demokratien dagegen Suggestion und Propaganda. Zwischen beiden Systemen bestehen trotzdem große Unterschiede. In den Demokratien ist es immerhin möglich, sich der Konformität zu widersetzen, und diese Haltung findet man dort tatsächlich auch vor; bei den totalitären Systemen dagegen kann man lediglich damit rechnen, daß einige wenige ungewöhnlich tapfere Helden und Märtyrer den Gehorsam verweigern. Trotz dieses Unterschiedes zeigen jedoch die demokratischen Gesellschaften ein beängstigendes Maß an Konformität. Der Grund liegt in der Tatsache, daß man auf irgendeine Weise dem Verlangen nach Vereinigung nachgeben muß, und wenn es weder eine andere noch eine bessere Möglichkeit gibt, ist die Vereinigung im Sinne der Konformität der Herde vorherrschend. Die Macht der Angst, anders zu sein, nur wenige Schritte außerhalb der Herde zu stehen, kann man nur begreifen, wenn man die Tiefen der Notwendigkeit versteht, nicht abgetrennt zu werden. Manchmal ist die Furcht, nicht so zu sein wie die anderen, als Angst vor praktischen Gefahren rationalisiert, die angeblich dem nicht Angepaßten drohen. Tatsache ist jedoch, daß die Menschen in einem viel größerem Maße von sich aus zur Konformität neigen, als sie dazu gezwungen werden — zumindest jedenfalls in den westlichen Demokratien.

Die meisten Menschen sind sich nicht einmal ihres Bedürfnisses nach Konformität bewußt. Sie leben in der Illusion, eigenen Vorstellungen und Neigungen zu folgen, Individualisten zu sein und als Ergebnis eigenen Denkens ihre Meinung gebildet zu haben — daß ihre Vorstellungen demnach also rein zufällig denen der Majorität entsprechen. Diese Übereinstimmung nehmen sie als Beweis dafür, daß »ihre« Vorstellungen eben richtig sind. Da daneben jedoch noch das Bedürfnis besteht, eine gewisse Individualität zu empfinden, wird dieses Bedürfnis durch unbedeutende Kleinigkeiten befriedigt: die Anfangsbuchstaben des

Namens auf Koffer oder Pullover, das Namensschild am Schalterfenster, der Eintritt in eine bestimmte Partei oder in eine Studentenverbindung werden zum Ausdruck individueller Unterschiede. Der Werbeslogan »Etwas anderes!« beweist das rührende Bedürfnis nach Individualität in einer gesellschaftlichen Wirklichkeit, in der es fast keine mehr gibt.

Diese zunehmende Tendenz zur Ausmerzung aller Unterschiede hängt eng mit dem Begriff und dem Erlebnis der Gleichheit zusammen, wie sie sich in den fortgeschrittensten Industriegesellschaften entwickelt. Im religiösen Sinne hatte der Begriff »Gleichheit« bedeutet, daß wir alle Gottes Kinder sind, daß wir alle Anteil haben an der menschlich-göttlichen Substanz, daß wir alle eins sind. Es bedeutete aber auch, daß gerade die Unterschiede zwischen den Individuen respektiert werden sollten, daß, obwohl wir alle eins sind, jeder von uns eine einmalige Ganzheit darstellt, ein Kosmos in sich ist. Diese Überzeugung von der Einmaligkeit des Individuums ist zum Beispiel in der Feststellung des Talmuds ausgedrückt: »Wer immer auch nur ein einziges Leben rettet, hat gehandelt, als hätte er die ganze Welt gerettet; wer immer auch nur ein einziges Leben zerstört, hat gehandelt, als hätte er die ganze Welt zerstört.« Gleichheit als Bedingung für die Entwicklung der Individualität bedeutete dieser Begriff auch in der Philosophie der westlichen Aufklärung. Am klarsten formulierte Kant es, daß der Mensch niemals das Mittel für die Zwecke eines anderen sein darf, daß alle Menschen sich insofern gleich sind, als sie in sich ein Zweck und somit niemals ein Mittel für einen anderen sind. Entsprechend den Ideen der Aufklärung definierten sozialistische

32

Denker verschiedener Schulen die Gleichheit als Abschaffung der Ausbeutung und der Verwendung des Menschen durch den Menschen, ungeachtet der Tatsache, ob diese Verwendung grausam oder »human« wäre.

In der zeitgenössischen kapitalistischen Gesellschaft hat die Bedeutung der Gleichheit eine Veränderung erfahren. Mit dem Begriff »Gleichheit« meint man heute die Gleichheit von Maschinen, also Menschen, die ihre Individualität eingebüßt haben. *Gleichheit bedeutet heute »Einförmigkeit« und nicht »Einheit«.* Es ist die Einförmigkeit von Abstraktionen, von Menschen, die die gleiche Arbeit verrichten, die die gleichen Vergnügungen suchen, die die gleichen Zeitungen lesen, die die gleichen Gefühle und die gleichen Ideen haben. In dieser Hinsicht muß man mit einiger Skepsis auch gewisse Errungenschaften betrachten, die gewöhnlich als Zeichen unseres Fortschritts gepriesen werden, wie zum Beispiel die Gleichstellung der Frau. Ich brauche wohl nicht erst zu betonen, daß ich nicht gegen die Gleichheit von Mann und Frau bin; aber die positiven Aspekte dieser Tendenz zur Gleichstellung dürfen nicht täuschen. Die Frau ist gleich, weil die Unterschiede verschwunden sind. Die philosophische These der Aufklärung — *l'âme n'a pas de sexe*, die Seele hat kein Geschlecht — wird ganz allgemein angewendet. Die Polarität der Geschlechter verschwindet und mit ihr auch die erotische Liebe, die auf dieser Polarität beruht. Männer und Frauen werden *dasselbe* und nicht *gleich* als gegensätzliche Pole. Die zeitgenössische Gesellschaft predigt das Ideal einer nichtindividualisierten Gleichheit, weil sie menschliche Atome braucht, die sich in nichts voneinander unterscheiden und in der Zusammenballung der Masse reibungslos und ohne Schwierigkeit funktionieren, alle dem gleichen Befehl folgend, und dennoch jeder für sich in der Überzeugung, daß er nur seinen eigenen Wünschen folgt. Wie die moderne Massenproduktion die Standardisierung der Erzeugnisse verlangt, so verlangt dieser gesellschaftliche Vorgang die Standardisierung des Menschen, und sie nennt man dann »Gleichheit«.

Die Vereinigung durch Konformität ist weder intensiv noch heftig; sie ist ruhig, von der Schablone vorgeschrieben und aus eben diesem Grunde sehr oft nicht ausreichend, um die Angst vor der Getrenntheit zu beruhigen. Die Verbreitung von Alkoholismus, Rauschgiftsucht und Selbstmord in der zeitgenössischen westlichen Welt ist ein Symptom für dieses relative Versagen der Konformität. Außerdem betrifft diese Lösung meistens nur den Kopf und nicht den Körper, und auch aus diesem Grunde hat sie Nachteile gegenüber den orgiastischen Lösungen. Die Konformität der Herde hat nur einen Vorteil: Sie ist von Dauer und ohne jeden Krampf. Das Individuum wird im Alter von drei oder vier Jahren in das konforme Muster eingeführt und verliert danach nie mehr den Kontakt mit der Herde.

Zusätzlich zu der Konformität als Möglichkeit, die aus der Getrenntheit stammende Angst zu beschwichtigen, muß man sich noch mit einem anderen Faktor unseres zeitgenössischen Lebens beschäftigen: mit der Rolle der Arbeits- und Entspannungsroutine. Als Teil eines Heeres von Arbeitern oder der bürokratischen Armee der Angestellten und Manager ist der Mensch nur noch eine Nummer. Er braucht kaum mehr Initiative, seine Aufgaben werden ihm durch die Organisation der Arbeit vorgeschrieben; es ist fast kein Unterschied mehr zwischen jenen, die oben auf der Leiter, und denen, die unten stehen. Sie alle führen Aufgaben aus, die durch die ganze Struktur der Organisation vorgeschrieben sind, und zwar nicht nur in einem vorgeschriebenen Tempo, sondern auch in einer vorgeschriebenen Art. Selbst die Gefühle sind vorgeschrieben: Fröhlichkeit, Toleranz, Zuverlässigkeit, Ehrgeiz und die Fähigkeit, mit jedem ohne Schwierigkeit auszukommen. Das Vergnügen ist in ähnlicher, wenn auch nicht ganz so drastischer Weise schablonisiert. Bücher werden von den Buchklubs, Filme von den Kinobesitzern und durch die von ihnen bezahlten Anzeigentexte ausgewählt. Der Rest ist ebenfalls konform: die Sonntagsfahrt mit dem Auto, die Fernsehsendung, das Kartenspiel und die gesellschaftlichen Einladungen. Von der Geburt bis zum Tode, von Sonntag bis Montag, vom Morgen bis zum Abend — alle Tätigkeiten sind schablonisiert und vorgefertigt. Wie sollte ein Mensch, der in diesem Netz gefangen ist, nicht vergessen, daß er ein Mensch ist, ein einmaliges Individuum, ein Geschöpf, dem nur diese eine Lebenschance gegeben ist, mit Hoffnungen und Enttäuschungen, mit Sorgen und Furcht, mit der Sehnsucht nach Liebe und der Drohung des Nichts und der Einsamkeit.

Eine dritte Möglichkeit, Einheit und Harmonie zu erreichen, liegt in der *schöpferischen Tätigkeit*, sei es die eines Künstlers oder die eines Handwerkers. In jeder schöpferischen Arbeit vereinigt sich der schöpferische Mensch mit seinem Material, das die Umwelt des Menschen darstellt. Ob der Tischler einen Tisch arbeitet oder der Goldschmied ein Schmuckstück, ob der Bauer sein Getreidefeld bestellt oder der Maler ein Bild malt — in jeder schöpferischen Arbeit werden Arbeiter und Gegenstand eins, vereinigt sich der Mensch mit der Welt im Prozeß des Schaffens. Dies gilt jedoch nur für die produktive Arbeit, für eine Arbeit, die ich selbst plane, durchführe und bei der ich dann das Ergebnis meiner Arbeit sehe. In dem modernen Arbeitsablauf eines Angestellten, eines Fließbandarbeiters ist kaum etwas von dieser vereinenden Eigenschaft der Arbeit übriggeblieben. Der Arbeiter wird ein Teil der Maschine oder der bürokratischen Organisation. Er hat aufgehört, er selbst zu sein — denn jenseits jener Vereinigung durch Anpassung findet keine Vereinigung statt.

Die Einheit, die durch produktive Arbeit erfolgt, ist nicht zwischenmenschlich. Die Einheit, die durch orgiastische Vereinigung erreicht wird, ist vorübergehend. Die Einheit, die durch Konformität und Anpassung erreicht wird, ist nur eine Pseudo-Einheit. Die eigentliche und totale Antwort auf die existentielle Frage liegt in der zwischenmenschlichen Vereinigung, in der Vereinigung mit einem anderen Menschen, in der *Liebe*.

Das Verlangen nach zwischenmenschlicher Vereinigung ist das stärkste Streben im Menschen. Es ist das grundlegendste Verlangen, die Kraft, die die menschliche Rasse zusammenhält, den Clan, die Familie und die Gesellschaft. Sein Versagen bedeutet Wahnsinn oder Vernichtung — Selbstvernichtung oder Vernichtung anderer. Ohne Liebe könnte die Menschheit nicht einen einzigen Tag existieren. Wenn wir jedoch die Erreichung der zwischenmenschlichen Vereinigung »Liebe« nennen, befinden wir uns in einer ernstlichen Schwierigkeit. Eine Vereinigung kann auf verschiedene Weise erreicht werden — und die Unterschiede

36

sind nicht weniger bedeutungsvoll als das, was den verschiedenen Formen der Liebe gemeinsam ist. Sollte man alle als Liebe bezeichnen? Oder sollte man das Wort »Liebe« nur einer besonderen Art der Vereinigung vorbehalten, die in allen großen humanistischen Religionen und philosophischen Systemen der letzten viertausend Jahre westlicher und östlicher Geschichte als höchste Norm galt?

Wie bei allen semantischen Schwierigkeiten kann die Antwort nur willkürlich sein. Wichtig ist allein, daß wir genau wissen, welche Art der Vereinigung wir meinen, wenn wir von Liebe sprechen. Beziehen wir uns auf die Liebe als die reife Antwort auf das Problem der Existenz, oder sprechen wir von den unreifen Formen der Liebe, die man *symbiotische Vereinigung* nennen könnte? Auf den folgenden Seiten werde ich nur ersteres als Liebe bezeichnen. Beginnen werde ich die Diskussion jedoch mit letzterem.

Die *symbiotische Vereinigung* hat ihr biologisches Vorbild in der Beziehung zwischen der schwangeren Mutter und dem Foetus. Sie sind zwei und doch eins. Sie leben »zusammen« *(sym-biosis)*, sie brauchen sich gegenseitig. Der Foetus ist ein Teil der Mutter und empfängt von ihr alles, was er braucht; die Mutter ist sozusagen seine Welt. Sie ernährt und beschützt ihn, aber auch ihr Leben erfährt durch ihn eine Steigerung. In der *psychischen* symbiotischen Vereinigung sind die beiden *Körper* unabhängig, aber die gleiche Art des gegenseitigen Angewiesenseins besteht psychologisch.

Die *passive* Form der symbiotischen Vereinigung ist die Unterwerfung oder — wenn wir die klinische Bezeichnung verwenden — der *Masochismus*. Der masochistische Mensch entrinnt dem unerträglichen Gefühl der Isolation und Getrenntheit, indem er sich selbst zu einem Teil, zu einem Glied einer anderen Person macht, die ihn führt, leitet und beschützt, die sozusagen sein Leben ist und ohne die er gar nicht leben könnte. Die Macht jener Person, der man sich unterwirft, ist übersteigert, mag sie nun ein Mensch oder ein Gott sein; sie ist alles, ich selbst bin nichts, abgesehen allein davon, daß ich ein Teil von ihr bin. Denn damit bin ich auch ein Teil ihrer Größe, ihrer Macht, ihrer Sicherheit. Der Masochist hat selbst keine Entscheidungen zu treffen, hat kein Risiko auf sich zu nehmen; er ist niemals allein — er ist jedoch auch nicht unabhängig. Er ist nicht vollständig, ist noch gar nicht ganz geboren. In religiöser Sprache wird das Objekt der Verehrung mit Idol bezeichnet; in der masochistischen Liebesbeziehung liegt jedoch derselbe Mechanismus der Götzenanbetung vor. Die masochistische Bezogenheit kann mit physischem, sexuellem Verlangen vermischt sein; in diesem Fall handelt es sich nicht nur um eine Unterwerfung, an der die Phantasie teilhat, sondern um eine, die den gesamten Körper betrifft. Es gibt eine masochistische Unterwerfung unter das Schicksal, unter Krankheit, rhythmische Musik, oder die orgiastische, durch Drogen oder Trance hervorgerufene Ekstase — in allen diesen Fällen verliert der Betroffene seine Integrität und macht sich damit selbst zum Instrument eines anderen Menschen oder Dinges; er ist damit der Aufgabe enthoben, das Problem des Lebens selbst und in Freiheit zu lösen.

Die *aktive* Form der symbiotischen Vereinigung ist Beherrschung des anderen Menschen oder — um die dem

Masochismus entsprechende psychologische Bezeichnung zu nehmen — *Sadismus*. Der Sadist möchte seiner Einsamkeit dadurch entgehen, daß er einen anderen zu einem Teil, zu einem Glied seiner selbst macht. Er übersteigert und vergrößert sich selbst durch die Einverleibung jener anderen Person, die ihn anbetet.

Der Sadist ist von jener Person, die sich ihm unterworfen hat, genauso abhängig wie diese von ihm; keiner kann ohne den anderen leben. Der Unterschied liegt lediglich darin, daß der Sadist befiehlt, ausnutzt, verletzt und erniedrigt, während der Masochist sich befehlen, ausnutzen, verletzen und erniedrigen läßt. Das ist in realistischem Sinne ein beträchtlicher Unterschied; in einem tieferen Sinne ist der Unterschied jedoch nicht so groß wie das, was beide gemeinsam haben: Vereinigung ohne Unabhängigkeit und Integrität. Wenn man dies begreift, ist es auch nicht überraschend festzustellen, daß eine Person gewöhnlich sowohl auf sadistische als auch auf masochistische Art reagiert, im allgemeinen allerdings gegenüber verschiedenen Objekten. Hitler reagierte Menschen gegenüber in erster Linie auf sadistische, seinem Schicksal, der Geschichte und den »höheren Mächten« der Natur gegenüber jedoch auf masochistische Weise.[1]

Im Gegensatz zu der symbiotischen Vereinigung ist die reife *Liebe Eins-Sein unter der Bedingung, die eigene Integrität und Unabhängigkeit zu bewahren*, und damit auch die eigene Individualität. *Die Liebe des Menschen ist eine aktive Kraft*, die die Mauern durchbricht, durch die der Mensch von seinen Mitmenschen getrennt ist, und die

[1] Vgl. die ausführliche Studie über Sadismus und Masochismus in: E. Fromm, *Die Furcht vor der Freiheit*, Zürich 1945.

ihn mit den anderen vereint. Die Liebe läßt ihn das Gefühl von Isolation und Getrenntheit überwinden, erlaubt ihm aber, sich selbst treu zu bleiben und seine Integrität, sein So-Sein zu bewahren. In der Liebe ereignet sich das Paradox, daß zwei Wesen eins werden und doch zwei bleiben.

Wenn wir sagen, daß die Liebe eine Aktivität ist, stehen wir der Schwierigkeit gegenüber, die in der doppelsinnigen Bedeutung des Wortes »Aktivität« liegt. Mit »Aktivität« meint man im modernen Gebrauch des Wortes gewöhnlich eine Handlung, die durch Aufwendung von Energie eine Veränderung in irgendeiner bestehenden Situation zustande bringt. So gilt ein Mensch als aktiv, wenn er geschäftlich tätig ist, Medizin studiert, am Fließband arbeitet, einen Stuhl tischlert oder sich sportlich betätigt. Sämtlichen genannten Tätigkeiten ist gemeinsam, daß sie darauf gerichtet sind, ein äußerliches Ziel zu erreichen. Nicht berücksichtigt wird dabei die Quelle der Aktivität. Nehmen wir zum Beispiel einen Mann, der durch das Gefühl größter Unsicherheit oder Einsamkeit zu besessener Arbeit oder jenen Menschen, der von Ehrgeiz oder Geldgier getrieben wird. In diesen Fällen ist die Person der Sklave einer Passion, einer Leidenschaft, und seine Aktivität ist in Wirklichkeit »Passivität«, weil er getrieben wird; er ist der Leidende und nicht der »Handelnde«. Auf der anderen Seite hält man einen Menschen, der still und nachdenklich auf seinem Stuhl sitzt, ohne irgendeinen anderen Zweck als den, sich selbst und seine Einheit mit der Welt zu betrachten und zu erleben, für »passiv«, eben weil er nichts »tut«. In Wirklichkeit ist diese konzentrierte Meditation die höchste Aktivität, eine Aktivität der Seele, die nur unter der Bedingung innerer Freiheit und Unabhängigkeit überhaupt möglich ist. Der eine Begriff der Aktivität, und zwar der moderne, meint die Verwendung von Energie zur Erreichung äußerlicher Ziele; der andere Begriff der Aktivität meint die Verwendung der dem Menschen innewohnenden Kräfte, ungeachtet der Tatsache, ob irgendwelche äußeren Veränderungen damit erreicht werden. Der zweite Begriff der Aktivität ist am klarsten von Spinoza formuliert worden. Bei den Affekten unterscheidet er zwischen aktiven und passiven, zwischen »Aktionen« und »Passionen«. Wenn der Mensch einem aktiven Affekt gemäß handelt, ist er frei, ist er der Herr des Affektes; wenn er von einem passiven Affekt motiviert ist, ist er getrieben, das Objekt von Motiven, die ihm selbst gar nicht bewußt sind. So kommt Spinoza schließlich zu der Feststellung, daß Tugend und sich seiner selbst mächtig sein ein und dasselbe sind.[2] Neid, Eifersucht, Ehrgeiz und jede Art von Gier sind Leidenschaften, Passionen; die Liebe dagegen ist eine Aktion, Ausübung einer menschlichen Macht, die nur in Freiheit ausgeübt werden kann und niemals das Ergebnis eines Zwanges ist.

Die Liebe ist eine Aktivität und kein passiver Affekt. Ganz allgemein kann man sie mit der Feststellung umschreiben, daß die Liebe in erster Linie ein *Geben* und kein Empfangen ist.

Was ist nun Geben? So einfach die Antwort auf diese Frage zu sein scheint, so doppelsinnig und verwickelt ist sie tatsächlich. Das verbreitetste Mißverständnis ist die Annahme, daß Geben im Grunde »Aufgeben« bedeutet, daß man einer Sache beraubt wird oder sie opfert. Die Person, deren Charakter sich noch nicht über das Stadium

---

[2] Spinoza, *Ethik* IV, Definition 8.

des Empfangens, des Ausnutzens oder Zusammenraffens hinaus entwickelt hat, erlebt die Handlung des Gebens auf diese Weise. Der »merkantile« Charakter ist bereit zu geben, aber nur im Austausch gegen etwas anderes, das er dafür empfängt; Geben ohne Empfangen ist für ihn Betrug.[3] Menschen, deren Charakterstruktur wesentlich unproduktiv ist, haben das Gefühl, daß man ihnen etwas wegnimmt. Die meisten Individuen dieses Typs weigern sich daher, etwas zu geben. Manche machen dagegen aus dem Geben eine Tugend im Sinne des Opferns. Sie glauben, daß man geben sollte, gerade weil es so schmerzlich ist; die Tugend des Gebens liegt für sie gerade in der Bereitschaft zum Opfern. Für sie bedeutet die Norm, daß Geben besser ist als Nehmen nichts anderes als die Tatsache, daß es besser ist, einen Verlust zu erleiden, als Freude zu erleben.

Für den schöpferischen Charakter hat das Geben eine völlig andere Bedeutung. Geben ist für ihn der höchste Ausdruck von Kraft. Gerade in der Handlung des Gebens erlebe ich meine Kraft, meine »Wohl-habenheit«, meine Potenz. Dieses Erlebnis gesteigerter Vitalität und Kraft erfüllt mich mit Freude. Ich erlebe mich selbst als überströmend, lebendig und daher freudig.[4] Geben bringt mehr Freude als Empfangen, nicht weil es ein Opfer ist, sondern weil in der Handlung des Gebens der Ausdruck meiner Lebenskraft liegt.

Es ist nicht schwer, die Gültigkeit dieses Grundsatzes

[3] Vgl. die ausführliche Diskussion dieser charakterlichen Anlagen in: E. Fromm, *Psychoanalyse und Ethik*. Zürich 1954, 3. Kap., S. 53–132.

[4] Vgl. die von Spinoza gegebene Definition der Freude.

zu erkennen, wenn man ihn auf verschiedene spezifische Erscheinungen anwendet. Das elementarste Beispiel finden wir in der Sphäre der Sexualität. Der Höhepunkt der männlichen Sexualfunktion liegt im Akt des Gebens; der Mann gibt sich, gibt sein Sexualorgan der Frau. Im Augenblick des Orgasmus gibt er ihr seinen Samen. Er kann es nicht verhindern, wenn er potent ist; wenn er nicht geben kann, ist er impotent. Für die Frau ist dieser Vorgang keineswegs anders, sondern nur etwas verwickelter. Auch sie gibt sich hin; sie öffnet die Tore zu dem Innersten ihrer Weiblichkeit — im Empfangen gibt sie. Wenn sie zu dieser Form des Gebens unfähig ist, wenn sie nur »empfangen« kann, ist sie frigid. Bei ihr wiederholt sich die Handlung des Gebens in ihrer Funktion als Mutter. Sie gibt dem in ihr wachsenden Kind von sich selbst; sie gibt ihm später ihre Milch und ihre Körperwärme. Nicht-geben wäre für sie schmerzlich.

In der Sphäre der materiellen Dinge ist Geben Reichtum. Nicht der, der *hat*, ist reich, sondern der, der viel gibt. Der Geizige, der Angst vor jedem Verlust hat, ist — psychologisch gesagt — ein armer und armseliger Mensch, ungeachtet der Tatsache, wieviel er besitzt. Wer jedoch fähig ist, von sich selbst zu geben, ist reich. Er erlebt sich selbst als einen Menschen, der anderen von sich selbst geben kann. Nur ein Mensch, der weniger hat als das zum Leben Allernotwendigste, ist nicht in der Lage, die Befriedigung des Gebens materieller Dinge zu erleben. Aber die alltägliche Erfahrung lehrt, daß das, was ein Mensch als Mindestmaß des zum Leben Notwendigen ansieht, von seinem Charakter wie auch von seinem tatsächlichen Besitz abhängig ist. Es ist bekannt, daß der Arme bereitwilliger gibt als der Reiche. Trotzdem macht die Armut jenseits einer bestimmten Grenze auch das Geben unmöglich, und gerade das ist erniedrigend — nicht nur wegen des Leids, das unmittelbar hervorgerufen wird, sondern auch wegen der Tatsache, daß es den Armen der Freude des Gebens beraubt.

Die wichtigste Sphäre des Gebens ist jedoch nicht die materieller Dinge; sie liegt vielmehr auf spezifisch menschlichem Gebiet. Was gibt eigentlich ein Mensch dem anderen? Er gibt von sich selbst, von dem Kostbarsten, was er besitzt, von seinem Leben. Das bedeutet nicht notwendigerweise, daß er sein Leben anderen zum Opfer bringt, sondern daß er von dem gibt, was in ihm lebendig ist. Er gibt von seiner Freude, von seinem Interesse, von seinem Verständnis, von seinem Wissen, von seinem Humor und von seiner Traurigkeit — kurz, von allem, was in ihm lebendig ist. Und dadurch, daß er von seinem Leben gibt, bereichert er den anderen, steigert er das Lebensgefühl des anderen in der Steigerung des eigenen Lebensgefühls. Er gibt nicht, um etwas dafür zu empfangen; aber durch sein Geben kann er nicht vermeiden, im anderen etwas zum Leben zu erwecken, das wiederum auf ihn zurückwirkt; weil er etwas gibt, kann er nicht umhin, das zu empfangen, was ihm zurückgegeben wird. Das Geben umschließt gleichzeitig, daß der andere ebenfalls zum Gebenden wird und daß beide sich an dem freuen, was zum Leben erweckt worden ist. Im Akt des Gebens wird etwas geboren, und beide, der Gebende und der Empfangende, sind dankbar für das Lebendige, das für sie beide geboren wurde. Besonders im Hinblick auf die Liebe bedeutet dies: Impotenz ist die Unfähigkeit, Liebe zu schaffen. Dieser Gedanke ist von Marx sehr schön ausgedrückt worden. »Setze«, so sagt er, »den *Menschen* als *Menschen* und sein Verhältnis zur Welt als ein menschliches voraus, so kannst du Liebe nur gegen Liebe austauschen, Vertrauen nur gegen Vertrauen usw. Wenn du die Kunst genießen willst, mußt du ein künstlerisch gebildeter Mensch sein; wenn du Einfluß auf andere Menschen ausüben willst, mußt du ein wirklich anregend und fördernd auf andere Menschen wirkender Mensch sein. Jedes deiner Verhältnisse zum Menschen und zu der Natur muß eine *bestimmte*, dem Gegenstand deines Willens entsprechende *Äußerung* deines *wirklichen individuellen* Lebens sein. Wenn du liebst, ohne Gegenliebe hervorzurufen, das heißt, wenn dein Lieben als Liebe nicht die Gegenliebe produziert, wenn du durch eine *Lebensäußerung* als liebender Mensch dich nicht zum *geliebten* Menschen machst, so ist deine Liebe ohnmächtig, ein Unglück.«[5] Aber nicht nur in der Liebe bedeutet Geben auch Empfangen. Der Lehrer lernt von seinen Schülern, der Schauspieler wird durch die Zuschauer angespornt, der Psychoanalytiker wird durch seinen Patienten geheilt — vorausgesetzt, man bezieht sich zum anderen nicht als Objekt, sondern ist ihm wirklich und schöpferisch verbunden.

Es ist kaum notwendig, die Tatsache zu betonen, daß die Fähigkeit zur Liebe als eine Handlung des Gebens von der charakterlichen Entwicklung der Person abhängig ist. Sie setzt die Erreichung einer vorherrschend produktiven Orientierung voraus; in dieser Haltung hat der Mensch seine Abhängigkeit, seine narzißtische Allmacht und das

[5] »Nationalökonomie und Philosophie«, 1844, veröffentlicht in: Karl Marx, *Die Frühschriften*, hsg. von S. Landshut. Stuttgart 1953, S. 300 f.

Verlangen, andere auszubeuten, überwunden und hat den Glauben an seine eigenen menschlichen Kräfte gefunden, den Mut, sich zur Erreichung seiner Ziele allein auf die eigenen Kräfte zu verlassen. In dem Maße, in dem diese Eigenschaften fehlen, fürchtet man sich davor, sich selbst zu geben — also auch zu lieben.

Jenseits des Elements des Gebens wird der aktive Charakter der Liebe noch in der Tatsache deutlich, daß sie immer gewisse Grundelemente enthält, die allen Formen der Liebe gemein sind. Es sind Fürsorge, Verantwortlichkeit, Respekt und Wissen.

Daß zu der Liebe die Fürsorge gehört, wird in der Liebe einer Mutter zu ihrem Kinde am deutlichsten. Keine Beteuerung ihrer Liebe würde uns im geringsten beeindrucken, wenn wir erlebten, daß sie es an Fürsorge für das Kind fehlen ließe, daß sie sich weigerte, es zu füttern, zu baden und für sein leibliches Wohl zu sorgen; ihre Liebe wirkt dagegen glaubhaft, wenn sie für ihr Kind sorgt. Nicht anders ist es bei der Liebe zu Tieren oder Blumen. Wenn eine Frau uns erzählte, daß sie Blumen liebe, und wir dann feststellten, daß sie vergaß, die Blumen zu begießen, würden wir ihr die »Liebe« zu Blumen nicht glauben. *Liebe ist die aktive Fürsorge für das Leben und das Wachsen dessen, was wir lieben.* Wenn diese aktive Fürsorge fehlt, ist der Affekt nicht Liebe. Dieses Element der Liebe ist besonders schön in dem Buch Jona beschrieben. Gott hat Jona aufgetragen, nach Ninive zu gehen und den Bewohnern zu sagen, daß sie bestraft würden, wenn sie sich nicht von ihren bösen Wegen bekehrten. Jona flieht jedoch vor diesem Auftrag, weil er fürchtet, daß die Einwohner Ninives bereuen und Gott ihnen dann vergeben werde. Er ist ein Mann des Rechts und der starren Gerechtigkeit, aber kein Mann der Liebe. Bei seinem Versuch zu fliehen, findet er sich im Bauch eines großen Fisches wieder, der das Stadium der Isolierung und Gefangenschaft symbolisiert; hierher hat ihn sein Mangel an Mitgefühl und Liebe gebracht. Gott errettet ihn, und Jona geht nach Ninive. Er predigt den Einwohnern, was Gott ihm aufgetragen hat, und das, was Jona befürchtet hat, tritt tatsächlich ein. Die Bewohner Ninives bereuen ihre Sünden, bekehren sich von ihrem bösen Wege, und Gott verzeiht ihnen und beschließt, die Stadt nicht zu zerstören. Jona ist sehr verärgert und enttäuscht; er wollte »Gerechtigkeit«, nicht Liebe. Schließlich findet er im Schatten eines Baumes, den Gott für ihn wachsen ließ, um ihn vor der Sonne zu schützen, seine Ruhe wieder. Als Gott diesen Baum jedoch verdorren läßt, ist Jona niedergeschlagen und beklagt sich ärgerlich bei Gott. Gott erwidert darauf: »Dich jammert des Rizinus, daran du nicht gearbeitet hast, hast ihn auch nicht aufgezogen, welcher in einer Nacht ward und in einer Nacht verdarb; und mich sollte nicht jammern Ninives, solcher großen Stadt, in welcher sind mehr denn hundertundzwanzigtausend Menschen, die nicht wissen Unterschied, was rechts oder links ist, dazu auch viele Tiere?« Gott erklärt Jona, daß es das Wesen der Liebe ist, für etwas zu »arbeiten« und »es aufzuziehen«, daß Liebe und Arbeit untrennbar sind. Man liebt das, wofür man arbeitet, und man arbeitet für das, was man liebt.

Fürsorge und Besorgtheit enthalten einen weiteren Aspekt der Liebe, den der *Verantwortlichkeit*. Heute versteht man unter Verantwortlichkeit häufig Pflicht, etwas, das einem von außen auferlegt wird. Aber in ihrem eigent-

lichen Sinne ist die Verantwortlichkeit eine völlig frei-
willige Handlung; sie ist meine *Antwort* auf die ausgespro-
chenen oder unausgesprochenen Wünsche eines anderen
menschlichen Wesens. »Verantwortlich« zu sein bedeutet,
fähig und bereit zu sein zu »antworten«. Jona fühlte gegenüber den Einwohnern Ninives keine Verantwortlichkeit.
Wie Kain könnte er die Frage stellen: »Soll ich meines
Bruders Hüter sein?« Der liebende Mensch antwortet. Das
Leben seines Bruders ist nichts, was den Bruder allein
anginge, sondern etwas, das auch ihn angeht. Er fühlt sich
verantwortlich für seine Mitmenschen, wie er sich auch verantwortlich für sich selbst fühlt. Diese Verantwortlichkeit
bezieht sich im Fall der Mutter und ihres Kindes hauptsächlich auf die Fürsorge für die körperlichen Bedürfnisse.
In der Liebe zwischen Erwachsenen bezieht sie sich ebensosehr auf die psychischen Bedürfnisse des anderen.

Die Verantwortlichkeit könnte sehr leicht zu Beherrschung und Unterjochung werden, hätte die Liebe nicht
eine dritte Komponente: den *Respekt*. Respekt ist weder
Angst noch Furcht; entsprechend der Wurzel dieses Wortes
(*respicere* = ansehen) bedeutet Respekt die Fähigkeit,
einen Menschen so zu sehen, wie er ist, und seine einmalige
Individualität zu erkennen. Respekt bedeutet das Streben,
daß der andere wachsen und sich entfalten kann. Dem Respekt fehlt daher jede Tendenz der Ausbeutung. Ich
möchte, daß der geliebte Mensch zu seinem eigenen Nutzen
und in seiner eigenen Art wächst und sich entfaltet, und
nicht zu dem Zweck, mir zu dienen. Wenn ich den anderen
liebe, fühle ich mich eins mit ihm, und zwar so, *wie er ist*,
nicht so, wie er sein sollte, damit ich ihn als Objekt verwenden könnte. Es ist klar, daß Respekt nur möglich ist,

wenn *ich selbst* meine Unabhängigkeit erreicht habe, wenn ich ohne fremde Hilfe stehen und gehen kann, also ohne einen anderen beherrschen und ausnutzen zu wollen. Respekt gibt es nur auf der Grundlage der Freiheit: »L'amour est l'enfant de la liberté«, heißt es in einem alten französischen Lied — die Liebe ist das Kind der Freiheit, niemals aber das der Beherrschung.

Einen Menschen zu respektieren, ist nur möglich, wenn man ihn *kennt*, wenn man von ihm weiß; Fürsorge und Verantwortlichkeit würden blind sein, wären sie nicht vom Wissen geleitet. Das Wissen wäre leer, wäre es nicht von der Besorgtheit ausgelöst. Es gibt viele Schichten des Wissens; das Wissen, das ein Aspekt der Liebe ist, gehört zu jenem, das nicht am Rande stehenbleibt, sondern zum Kern vordringt. Es ist nur möglich, wenn ich das Interesse für mich selbst zurücklasse und den anderen mit seinen Augen sehe. Ich kann zum Beispiel wissen, daß ein Mensch verärgert ist, selbst wenn er es nicht offen zeigt; ich kann ihn jedoch auch genauer kennen und weiß dann, daß er verängstigt ist und Kummer hat, daß er sich einsam und schuldig fühlt. Dann weiß ich, daß sein Ärger nur der Ausdruck dessen ist, was tiefer liegt, und ich sehe ihn in seiner Furcht und Verwirrung als leidenden Menschen, nicht aber als verärgerten Menschen.

Das Wissen hat noch eine andere und grundlegendere Beziehung zu dem Problem der Liebe. Das Bedürfnis, sich mit einem anderen Menschen zu vereinen, um dem Gefängnis der eigenen Abgeschlossenheit zu entrinnen, hängt sehr eng mit einem anderen, ausgesprochen menschlichen Wunsch zusammen: das »Geheimnis des Menschen« zu erkennen. Während das Leben in seinen lediglich biologischen Aspekten ein Wunder und ein Geheimnis ist, ist der Mensch in seinen menschlichen Aspekten sich selbst ein unerforschliches Geheimnis — aber auch seinen Mitmenschen. Wir kennen uns selbst, aber trotz aller Anstrengungen lernen wir uns nicht kennen; wir kennen unsere Mitmenschen, und doch kennen wir sie nicht, weil weder wir noch unsere Mitmenschen eine Sache sind. Je weiter wir in die Tiefe unseres Seins oder in das eines anderen vordringen, desto mehr entzieht sich uns das Ziel unseres Wissens. Trotzdem können wir nicht verhindern, daß der Wunsch bleibt, immer tiefer in das Geheimnis der menschlichen Seele einzudringen, in den innersten Kern, der sein »Selbst« ist.

Es gibt eine einzige, eine verzweifelte Möglichkeit, dieses Geheimnis kennenzulernen: Es ist die vollständige Macht über einen anderen — jene Macht, mit der ich ihn tun lassen kann, was ich will, die ihn fühlen läßt, was ich will, und die ihn denken läßt, was ich will; die ihn in ein Ding, in mein Ding, in mein Eigentum verwandelt. Die äußerste Stufe dieses Versuches liegt in den Extremen des Sadismus, in dem Verlangen und der Fähigkeit, ein menschliches Wesen leiden zu lassen, es zu quälen und es zu zwingen, im Erleiden sein Geheimnis zu verraten. In diesem Verlangen, das Geheimnis des Menschen zu entdecken, liegt ein wesentliches Motiv für die Tiefe und Intensität von Grausamkeit und Zerstörungslust. In sehr klarer Weise ist diese Idee von Isaac Babel ausgedrückt worden. Er zitiert einen Offizierskameraden aus dem russischen Bürgerkrieg, der gerade seinen früheren Herrn zu Tode getrampelt hat und sagt: »Mit einem Schuß — ich will es mal so ausdrücken —, mit einem Schuß hat man den Kerl nur ausgelöscht... Mit einem Schuß kommt man nie an seine Seele heran, dahin, wo auch er ein Mensch ist und wo seine Seele steckt. Aber ich nehme auf mich keine Rücksicht, und ich habe schon mehr als einmal einen Feind zu Tode getrampelt, was länger als eine Stunde dauerte. Weißt du — ich will wissen, was das Leben wirklich ist, was dieses Leben ist, dem wir dauernd begegnen.«[6]

Bei Kindern sehen wir diesen Weg zum Wissen sehr deutlich. Das Kind nimmt sich irgend etwas und zerbricht es, um es kennenzulernen; es fängt zum Beispiel einen Schmetterling, reißt ihm grausam die Flügel aus, um ihn genau kennenzulernen, um ihn zur Hergabe seines Geheimnisses zu zwingen. Die Grausamkeit hat ein tieferes Motiv: den Wunsch, das Geheimnis der Dinge und des Lebens kennenzulernen.

Der andere Weg, »das Geheimnis« zu erforschen, ist die Liebe. Die Liebe ist ein aktives Durchdringen des anderen, bei dem mein Verlangen, das Geheimnis zu erforschen, durch Vereinigung gestillt wird. Im Akt der Vereinigung lerne ich den anderen, lerne ich mich selbst, lerne ich alle kennen — und »weiß« doch nichts. Ich weiß um das, was lebt, auf die einzige, dem Menschen mögliche Weise — im Erlebnis der Vereinigung, und nicht durch irgendein Wissen, das Gedanken vermitteln könnten. Der Sadismus entsteht aus dem Verlangen, das Geheimnis zu kennen, und doch bleibe ich genauso unwissend, wie ich es vorher war. Ich habe das andere Wesen auseinandergerissen, Glied für Glied, und erreicht habe ich nur, daß es zerstört ist. Die Liebe ist die einzige Möglichkeit des Wissens, das

[6] I. Babel, *The Collected Stories*. Criterion Book, New York 1955.

meine Frage im Akt der Vereinigung beantwortet. Im Lieben, im Hingeben, im Durchdringen des anderen finde ich mich selbst, entdecke ich mich selbst, entdecke ich uns beide, entdecke ich den Menschen.

Das Verlangen, uns selbst und unsere Mitmenschen zu kennen, hat seinen Ausdruck in dem Delphischen Motto »Erkenne dich selbst« gefunden. Es ist der Ursprung der gesamten Psychologie. Da das Verlangen jedoch darauf abzielt, den ganzen Menschen zu kennen, sein innerstes Geheimnis, kann dieses Verlangen durch das übliche Wissen nicht gestillt werden, durch das Wissen, das nur aus den Gedanken stammt. Selbst wenn wir tausendmal mehr von uns wüßten, würden wir niemals bis zum Grund vordringen. Immer noch würden wir uns selbst ein Rätsel sein, genauso wie unsere Mitmenschen uns ein Rätsel bleiben würden. Der einzige Weg zum vollständigen Wissen liegt in dem *Akt* der Liebe; er übersteigt alle Gedanken, alle Worte. Er ist der kühne Sprung in das Erlebnis der Vereinigung. Das Wissen in Gedanken, das heißt das psychologische Wissen, ist eine Bedingung für das vollständige Wissen in dem Akt der Liebe. Ich muß den anderen und mich selbst objektiv kennen, um in der Lage zu sein, seine Realität zu sehen oder die Illusionen, das irrational verzerrte Bild, das ich von ihm habe, zu überwinden. Nur wenn ich ein menschliches Wesen objektiv kenne, kann ich ihn in seinem letzten Wesen im Akt der Liebe erkennen.[7]

Das Problem, den Menschen zu erkennen, läuft parallel

[7] Diese Feststellung hat eine wichtige Folgerung für die Rolle der Psychologie innerhalb der zeitgenössischen westlichen Kultur. Während die Popularität der Psychologie deutlich auf ein Interesse am Wissen um den Menschen hindeutet, verdeckt sie doch den heute

zu dem religiösen Problem, Gott zu erkennen. In der konventionellen westlichen Theologie wird der Versuch gemacht, Gott gedanklich zu erkennen und Feststellungen *über* Gott zu treffen. Im Mystizismus, der — wie ich später zu erklären versuche — die radikale Konsequenz des Monotheismus ist, wurde der Versuch, Gott gedanklich zu erkennen, aufgegeben und durch das Erlebnis der Vereinigung mit Gott ersetzt, in der kein Platz ist und auch nicht mehr die Notwendigkeit besteht, etwas *über* Gott zu wissen.

Das Erlebnis der Vereinigung mit dem Menschen oder, religiös ausgedrückt, mit Gott ist keineswegs irrational. Im Gegenteil: Es ist, wie Albert Schweitzer betonte, die kühnste und radikalste Konsequenz des Rationalismus. Es basiert auf unserem Wissen von den grundlegenden und nicht zufälligen Grenzen unseres intellektuellen Wissens. Es ist das Wissen, daß wir das Geheimnis des Menschen und das des Universums niemals intellektuell begreifen werden, daß wir es jedoch trotzdem im Akt der Liebe erfassen können. Die Psychologie als Wissenschaft hat ihre Grenzen, und wie die logische Konsequenz der Theologie der Mystizismus ist, so ist die letzte Konsequenz der Psychologie die Liebe.

Fürsorge, Verantwortlichkeit, Respekt und Wissen sind voneinander abhängig. Sie sind ein Zusammenklang von Haltungen, die man im reifen Menschen findet, das heißt in dem Menschen, der seine eigenen Kräfte schöpferisch entwickelt, der nur das haben will, was er sich erarbeitet

herrschenden Mangel an Liebe innerhalb der menschlichen Beziehungen. Das psychologische Wissen wird damit zu einem Ersatz für das vollständige Wissen im Akt der Liebe, statt ein Schritt in diese Richtung zu sein.

hat, der die narzißtischen Träume von Allmacht und All-
wissen aufgegeben und eine Demut erworben hat, die auf
der inneren Stärke beruht, wie sie allein die wirkliche und
schöpferische Tätigkeit geben kann.

Bisher habe ich von der Liebe als der Überwindung der
menschlichen Getrenntheit, als der Erfüllung des Verlangens nach Vereinigung gesprochen. Jenseits des universalen und lebenswichtigen Verlangens nach Vereinigung erhebt sich jedoch noch ein anderes, mehr biologisches: das
Streben nach Vereinigung zwischen den maskulinen und
den femininen Polen. Die Idee dieser Polarität ist am
klarsten in dem Mythus ausgedrückt, daß Mann und Frau
ursprünglich eins waren, daß dieses Eins jedoch in zwei
Hälften geteilt wurde und daß die männliche Hälfte seit-
dem nach der verlorenen weiblichen Hälfte sucht, um sich
wieder mit ihr zu vereinigen. (Die gleiche Vorstellung von
der ursprünglichen Einheit der Geschlechter ist auch in
der biblischen Geschichte enthalten, nach der Eva aus
einer Rippe Adams erschaffen wurde — allerdings gilt hier
die Frau, entsprechend dem Geist einer patriarchalischen
Ordnung, als dem Manne untergeordnet.) Die Bedeutung
dieses Mythus ist offensichtlich. Die geschlechtliche Polarität führt den Menschen dazu, die Vereinigung auf besondere Art, als Vereinigung mit dem anderen Geschlecht zu
suchen. Die Polarität zwischen den männlichen und den
weiblichen Elementen existiert auch *innerhalb* jedes Mannes und *innerhalb* jeder Frau. Entsprechend der physiologischen Tatsache, daß Mann und Frau jeweils auch Hor-
mone des anderen Geschlechts haben, sind sie auch im
psychologischen Sinn bisexual. Sie tragen in sich das Prinzip des Empfangens und Durchdringens, von Stoff und

Geist. Mann und Frau finden die Einheit in sich selbst nur in der Vereinigung ihrer mann-weiblichen Polarität. Diese Polarität ist die Basis jedes schöpferischen Aktes.

Die mann-weibliche Polarität ist auch die Basis der zwischenmenschlichen Produktivität. Das ist biologisch offensichtlich in der Tatsache, daß die Vereinigung von Samen und Eizelle die Grundlage für die Geburt eines Kindes ist. Auf rein psychischem Gebiet ist es nicht anders; in der Liebe zwischen Mann und Frau wird jeder der beiden wiedergeboren. (Die homosexuelle Abweichung ist ein Versagen in der Erreichung dieser polarisierten Vereinigung, und aus diesem Grunde leidet der Homosexuelle unter der Qual niemals gelöster Getrenntheit; es ist jedoch ein Versagen, das er mit dem durchschnittlichen Heterosexuellen, der nicht lieben kann, gemeinsam hat.)

Die gleiche Polarität zwischen dem männlichen und dem weiblichen Prinzip besteht in der Natur nicht nur in der geschlechtlichen Polarität bei Tieren und Pflanzen, sondern in der Polarität der beiden grundlegenden Funktionen, der des Empfangens und der des Durchdringens. Es ist die Polarität von Erde und Regen, von Fluß und Meer, von Nacht und Tag, von Dunkelheit und Licht, von Stoff und Geist. Diese Vorstellung ist besonders schön von dem großen moslemischen Dichter und Mystiker Rūmī ausgedrückt worden:

Niemals sucht in Wahrheit der Liebende, ohne von dem Geliebten gesucht zu werden.
Wenn das Licht der Liebe in *dieses* Herz gesenkt wurde, muß man wissen, daß es auch in *jenes* Herz gesenkt wurde.

Wenn die Liebe zu Gott in deinem Herzen wächst, hat Gott zweifellos auch Liebe zu dir.

Kein Händeklatschen stammt allein von einer Hand ohne die andere Hand. Göttliche Weisheit ist Bestimmung, und sein Ratschluß läßt uns einander lieben. Die Vorbestimmung hat dafür gesorgt, daß jeder Teil der Welt mit seinem anderen Teil gepaart ist.

In den Augen des Weisen ist der Himmel der Mann und die Erde die Frau: die Erde nimmt sich dessen an, was der Himmel fallen ließ.

Fehlt es der Erde an Wärme, schickt der Himmel sie ihr; hat die Erde ihre Frische und ihre Feuchtigkeit verloren, bringt der Himmel sie ihr wieder.

Der Himmel geht seiner Wege wie ein Ehemann, der um seiner Frau willen nach Nahrung sucht;

Und die Erde hat mit dem Haushalt zu tun; sie hilft bei der Geburt und nährt das, was sie geboren hat.

Betrachte Erde und Himmel als Wesen, die mit Klugheit ausgestattet sind, da sie genauso handeln wie kluge Wesen.

Warum drängen sie sich so eng aneinander wie Liebende, wenn beide nicht Freude voneinander empfangen?

Wie sollten Blumen und Bäume blühen, wenn die Erde nicht wäre? Was würden Wasser und Wärme des Himmels allein wohl hervorbringen?

Wie Gott in Mann und Frau das Verlangen pflanzte, damit die Welt durch ihre Vereinigung bewahrt würde, so hat er jedem Teil des Lebens das Verlangen nach dem anderen Teil eingepflanzt.

Tag und Nacht sind äußerlich Feinde; und doch dienen beide nur einem Zweck;

denn jeder liebt den anderen, um das gegenseitige Werk vollenden zu helfen.

Ohne die Nacht würde das Wesen der Menschen nichts empfangen, so daß der Tag nichts zu geben hätte.[8]

Das Problem der mann-weiblichen Polarität führt zu der weiteren Diskussion von Liebe und Sexualität. Ich habe vorhin schon von Freuds Irrtum gesprochen, daß er in der Liebe ausschließlich die Äußerung — oder eine Sublimierung — des Sexualinstinkts sah und nicht erkannte, daß das sexuelle Verlangen eine Äußerung des Verlangens nach Liebe und Vereinigung ist. Aber Freuds Irrtum reicht noch tiefer. In Übereinstimmung mit seinem physiologischen Materialismus sieht er im Sexualinstinkt das Ergebnis einer im Körper chemisch hervorgerufenen Spannung, die Unbehagen verursacht und gelöst werden will. Das Ziel des sexuellen Verlangens liegt in der Beseitigung dieser quälenden Spannung. Das sexuelle Verlangen ähnelt nach dieser Vorstellung einem Juckreiz, die sexuelle Befriedigung ist dementsprechend die Beseitigung des Juckreizes. Gemäß diesem Begriff der Sexualität würde also die Onanie, die geschlechtliche Selbstbefriedigung, die ideale sexuelle Befriedigung sein. Was Freud jedoch paradoxerweise übersieht, ist der psycho-biologische Aspekt der Sexualität, die maskulin-feminine Polarität und das Verlangen, diese Polarität durch die Vereinigung zu überbrücken. Dieser merkwürdige Irrtum wurde vermutlich durch Freuds extremen Patriarchalismus begün-

[8] R. A. Nicholson, *Rūmi*, London 1950, S. 122/123.

stigt, der ihn zu der Annahme verleitete, daß die Sexualität an sich maskulin sei, so daß er die spezifisch weibliche Sexualität nicht erkannte. Diese Vorstellung drückte er in seinen *Drei Abhandlungen zur Sexualtheorie* aus, indem er sagte, daß der Geschlechtstrieb regelmäßig »einen männlichen Charakter« habe, ungeachtet der Tatsache, ob es der Geschlechtstrieb eines Mannes oder der einer Frau sei. Die gleiche Vorstellung kommt in vereinfachter Form in Freuds Überlegung zum Ausdruck, daß ein kleiner Junge die Frau als einen kastrierten Mann erlebt und daß die Frau lediglich auf verschiedene Weise den Ersatz für den Verlust der männlichen Geschlechtsteile sucht. Aber die Frau ist nicht ein kastrierter Mann; ihre Sexualität ist spezifisch weiblich und nicht männlichen Charakters.

Die sexuelle Anziehung zwischen den Geschlechtern ist nur teilweise durch den Drang nach Aufhebung einer physiologischen Spannung motiviert; in der Hauptsache ist sie das Verlangen nach Vereinigung mit dem anderen sexuellen Pol. Tatsächlich drückt sich die erotische Anziehung nicht nur in der sexuellen Anziehung aus. Im *Charakter* ebenso wie in der *sexuellen Funktion* existieren Männlichkeit und Weiblichkeit. Den maskulinen Charakter könnte man so definieren, daß er die Eigenschaften der Durchdringung, Führung, Aktivität, Disziplin und Abenteuerlust besitzt, der feminine Charakter dagegen hat die Eigenschaften schöpferischer Empfänglichkeit, des Beschützens, des Realismus, des Erduldens und der Mütterlichkeit. (Man darf dabei nicht vergessen, daß die Kennzeichen dieser beiden Charaktere in jedem Individuum gleichzeitig vorkommen, lediglich mit dem Übergewicht jener Eigenschaften, die zu »seinem« oder »ihrem« Geschlecht gehören.) Wenn die maskulinen *Charakterzüge* eines Mannes insofern geschwächt sind, als er in emotieller Hinsicht ein Kind geblieben ist, wird er sehr oft versuchen, diesen Mangel durch die ausschließliche Betonung seiner männlichen Rolle im Geschlechtlichen auszugleichen. Das Ergebnis ist der Don Juan, der es nötig hat, im Geschlechtlichen seine Manneskraft zu beweisen, weil er in seiner Männlichkeit in charakterlichem Sinne nicht sicher ist. Geht diese Lähmung der Männlichkeit ins Extreme, so wird der Sadismus — die Anwendung von Gewalt — in pervertierter Form zum Ersatz der Männlichkeit. Ist die weibliche Sexualität geschwächt oder pervertiert, wird sie zum Masochismus deformiert.

Man hat Freud wegen seiner Überbewertung der Sexualität kritisiert. Diese Kritik wurde häufig von dem Wunsch ausgelöst, ein Element des Freudschen Systems, das in konventionelleren Kreisen Kritik und Gegnerschaft hervorgerufen hat, auszumerzen. Freud spürte den Grund genau, und gerade deshalb wehrte er sich gegen jeden Versuch, seine Theorie der Sexualität abzuändern. Tatsächlich hatte Freuds Theorie zu jener Zeit einen herausfordernden und revolutionären Charakter. Was jedoch im Jahre 1910 revolutionär war, braucht es fünfzig Jahre später keineswegs mehr zu sein. Die sexuellen Sitten haben sich in einem Maße verändert, daß Freuds Theorien die Mittelklassen des Westens nicht mehr schockieren, und es ist ein fiktiver Radikalismus, wenn orthodoxe Analytiker sich auch heute noch für mutig und radikal halten, weil sie Freuds Sexualtheorie verteidigen. In Wirklichkeit ist ihr »Radikalismus« lediglich ein Zeichen der Anpassung, und so versuchen sie auch gar nicht, jene entscheidenden psychologischen Fragen zu stellen, die zu einer Kritik an der zeitgenössischen Gesellschaft werden könnten.

Meine Kritik der Freudschen Theorie ist nicht die, daß er die Sexualität überbewertete, sondern sein Versagen, die Sexualität tief genug zu verstehen; in Übereinstimmung mit seinen philosophischen Voraussetzungen erklärte er sie physiologisch. Es ist aber notwendig, Freuds Entdeckungen durch die Übersetzung von der physiologischen in die existentielle Dimension zu entwickeln.[9]

2. Liebe zwischen Eltern und Kind

Im Augenblick seiner Geburt würde ein Kind Todesangst haben, bewahrte es nicht ein gnädiges Geschick davor, sich jener Angst überhaupt bewußt zu werden, die mit der Trennung von der Mutter und von der Existenz innerhalb des Mutterleibes verbunden ist. Selbst für einige Zeit nach der Geburt unterscheidet sich das Kind kaum von dem, was es vor der Geburt war; es kann keine Gegenstände erkennen, ist sich seiner selbst und der Welt als etwas außerhalb seiner selbst existierenden noch nicht bewußt. Es fühlt nur das Verlangen nach Wärme und

[9] Den ersten Schritt in diese Richtung machte Freud mit einem späteren Begriff der Lebens- und Todesinstinkte bereits selbst. Sein Konzept des Lebensinstinktes *(Eros)* als Prinzip der Synthese und Vereinheitlichung steht auf einem ganz anderen Boden als sein Konzept des Geschlechtstriebes. Aber trotz der Tatsache, daß die Theorie der Lebens- und Todesinstinkte von den orthodoxen Analytikern anerkannt wurde, führte diese Anerkennung nicht zu einer grundlegenden Revision des Libido-Konzeptes, besonders im Hinblick auf die klinische Arbeit.

Nahrung, unterscheidet jedoch noch nicht zwischen Wärme und Nahrung und ihrer Quelle: der Mutter. Die Mutter ist für das Kind Wärme, ist Nahrung, ist das euphorische Stadium von Befriedigung und Sicherheit. Dieses Stadium ist, um Freuds Begriff zu gebrauchen, ein Stadium des Narzißmus. Die umgebende Wirklichkeit, Personen wie Dinge, hat Bedeutung nur im Zusammenhang mit der Befriedigung oder Enttäuschung, die sie für den inneren Zustand des Körpers bedeuten. Wirklich ist nur das Innere; das Äußere ist nur wirklich, soweit es sich auf des Kindes eigene Notwendigkeiten bezieht — niemals jedoch auf die von diesen Notwendigkeiten unabhängigen Qualitäten der Wirklichkeit.

Wenn das Kind wächst und sich entwickelt, wird es auch fähig, die Dinge so wahrzunehmen, wie sie sind; die Befriedigung, gefüttert zu werden, wird von der Brust der Mutter getrennt. Schließlich erlebt das Kind seinen Durst, die sättigende Milch, die Brust und die Mutter als getrennte und verschiedene Dinge. Es lernt erkennen, daß andere Dinge ebenfalls ihre eigene und von ihm unabhängige Existenz haben. In dieser Zeit lernt das Kind, sie bei Namen zu nennen. Zur gleichen Zeit lernt es aber auch, mit ihnen umzugehen; es lernt, daß das Feuer heiß ist und wehtut, daß Holz hart und schwer ist, daß Papier leicht und zerreißbar ist. Es lernt auch, mit Menschen umzugehen: daß die Mutter lächelt, wenn es ißt, daß sie es auf den Arm nimmt, wenn es weint, und daß sie es lobt, wenn es Verdauung gehabt hat. Sämtliche Erlebnisse kristallisieren und ergänzen sich zu dem einen Erlebnis: *Ich werde geliebt.* Ich werde geliebt, weil ich Mutters Kind bin. Ich werde geliebt, weil ich hilflos bin. Ich werde geliebt, weil ich hübsch und bewundernswert bin. Um es allgemeiner auszudrücken: *Ich werde für das geliebt, was ich bin* — oder vielleicht noch präziser: *Ich werde geliebt, weil ich bin.* Dieses Erlebnis, von der Mutter geliebt zu werden, ist ein passives Erlebnis. Ich brauche gar nichts zu tun, um geliebt zu werden, denn Mutterliebe ist bedingungslos. Ich brauche nur *zu sein*, ihr Kind zu sein. Mutterliebe ist Seligkeit, ist Friede; sie braucht nicht erworben, braucht nicht verdient zu werden. Die Bedingungslosigkeit der Mutterliebe hat jedoch auch eine negative Seite. Sie braucht nicht nur nicht verdient zu werden — sie *kann* auch *nicht* erworben werden. Wenn sie vorhanden ist, ist es ein Segen; fehlt sie jedoch, ist das Leben kahl und leer — und ich kann nichts tun, um sie hervorzurufen.

Für die meisten Kinder im Alter von acht bis zu zehn Jahren[10] besteht das Problem fast ausschließlich darin, *geliebt zu werden* — geliebt zu werden für das, was man ist. Das Kind, das jünger als acht Jahre ist, liebt noch nicht; es reagiert dankbar und freudig darauf, geliebt zu werden. An diesem Punkt der kindlichen Entwicklung kommt ein neuer Faktor hinzu: das neue Gefühl, Liebe durch die eigene Aktivität hervorzurufen. Zum erstenmal denkt das Kind daran, der Mutter (oder dem Vater) irgend etwas zu *geben*, irgend etwas — ein Gedicht, ein Bild oder was es sonst sein mag — zu schaffen. Zum erstenmal im Leben des Kindes ist die Vorstellung der Liebe vom »Geliebtwerden« in »Lieben« verwandelt worden — in das Erschaffen der Liebe. Von dem ersten Anfang bis

[10] Vgl. Sullivans Beschreibung dieser Entwicklung in: *The Interpersonal Theory of Psychiatry*. New York 1953.

zum Reifen der Liebe dauert es jedoch noch Jahre. Schließlich hat das Kind, das inzwischen vielleicht das Jünglings- oder Backfischalter erreicht hat, seine Egozentrizität überwunden; der andere Mensch ist nicht mehr ein bloßes Mittel zur Befriedigung des eigenen Verlangens. Die Notwendigkeiten und Bedürfnisse des anderen sind ebenso wichtig wie die eigenen — tatsächlich sind sie sogar wichtiger geworden. Das Geben ist befriedigender, freudvoller als das Nehmen, Lieben wichtiger als Geliebtzuwerden. Durch das Lieben ist das Kind aus seiner Isolierung herausgetreten, die durch seinen Narzißmus bedingt war. Es erlebt das Gefühl von Anteilnahme und Einheit. Noch mehr: Es spürt die Kraft, Liebe durch Lieben hervorzurufen, nicht mehr davon abhängig zu sein, Liebe zu empfangen und dazu klein, hilflos, krank oder »artig« sein zu müssen. Die kindliche Liebe folgt dem Grundsatz: »*Ich liebe, weil ich geliebt werde.*« Die reife Liebe dagegen folgt dem Grundsatz: »*Ich werde geliebt, weil ich liebe.*« Die unreife kindliche Liebe sagt: »*Ich liebe dich, weil ich dich brauche.*« Die reife Liebe sagt dagegen: »*Ich brauche dich, weil ich dich liebe.*«

In einem engen Zusammenhang mit der Entwicklung der *Fähigkeit* zur Liebe steht die Entwicklung des *Objekts* der Liebe. Die ersten Monate und Jahre des Kindes sind jene, in denen es der Mutter am engsten verbunden ist. Diese Verbundenheit beginnt bereits vor dem Augenblick der Geburt, wenn Mutter und Kind noch eins und trotzdem zwei sind. Die Geburt ändert die Situation zwar in gewisser Hinsicht, jedoch keineswegs so drastisch, wie es scheint. Das Kind, das jetzt außerhalb des Mutterleibes lebt, ist immer noch völlig von der Mutter abhängig. Später lernt es zu gehen, zu sprechen und die Welt selbst zu erforschen; das Verhältnis zur Mutter verliert einen Teil seiner lebenswichtigen Bedeutung, und statt dessen wird das Verhältnis zum Vater wichtiger.

Um diesen Übergang von der Mutter zum Vater zu verstehen, muß man die wesentlichen Unterschiede in der Eigenart der mütterlichen und der väterlichen Liebe betrachten. Von der Mutterliebe haben wir bereits gesprochen. Sie ist ihrem Wesen nach bedingungslos. Die Mutter liebt das Neugeborene, weil es ihr Kind ist, nicht weil das Kind irgendeine besondere Bedingung erfüllt hat oder irgendwelchen Erwartungen entspricht. (Wenn ich an dieser Stelle von der Mutter- bzw. der Vaterliebe spreche, meine ich damit »Idealtypen« im Sinne Max Webers oder im Sinne des Jungschen Archetyps und will damit nicht sagen, daß jede Mutter und jeder Vater in der gleichen Weise liebt. Ich beziehe mich vielmehr auf das Vater- bzw. Mutterprinzip, das sich in der Person des Vaters bzw. der Mutter verkörpert.) Die bedingungslose Liebe entspricht einer der tiefsten Sehnsüchte nicht nur des Kindes, sondern jedes menschlichen Wesens; andererseits erweckt die Tatsache, des eigenen Verdienstes wegen geliebt zu werden, immer irgendwelchen Zweifel. Vielleicht habe ich der Person, die mich lieben soll, keine Freude gemacht, vielleicht ist dieses oder jenes passiert — jedenfalls besteht immer die Angst, daß die Liebe wieder vergehen könnte. Ferner hinterläßt »verdiente« Liebe leicht das bittere Gefühl, daß man nicht um seiner selbst willen geliebt wird, sondern daß man *nur* geliebt wird, weil man dem anderen Freude gemacht hat — daß man also im letzten nicht geliebt, sondern nur gebraucht wird.

64

Kein Wunder, daß wir alle uns an der Sehnsucht nach Mutterliebe festhalten, als Kinder, aber auch als Erwachsene. Die meisten Kinder haben das Glück, Mutterliebe zu empfangen (in welchem Ausmaß, besprechen wir später). Bei Erwachsenen ist diese Sehnsucht viel schwieriger zu erfüllen. In der zufriedenstellendsten Entwicklung bleibt sie immer eine Komponente der erotischen Liebe; oft findet sie ihren Ausdruck in religiösen, häufiger jedoch in neurotischen Formen.

Die Beziehung zum Vater ist ganz anders. Die Mutter ist die Heimat, aus der wir kommen; sie ist die Natur, die Erde, das Meer. Der Vater dagegen verkörpert nicht irgendeine natürliche Heimat. In den ersten Lebensjahren hat er kaum eine Verbindung mit dem Kind, und in dieser ersten Periode kann man seine Bedeutung keineswegs mit der der Mutter vergleichen. Während der Vater nicht die *natürliche* Welt repräsentiert, steht er für den anderen Pol der menschlichen Existenz: für die Welt der Gedanken, der vom Menschen erschaffenen Dinge, von Gesetz, Ordnung und Disziplin. Der Vater ist derjenige, der das Kind lehrt, der ihm den Weg in die Welt zeigt.

Eng verbunden mit dieser Funktion ist eine andere, die mit der sozialökonomischen Entwicklung zusammenhängt. Als sich im Laufe der Geschichte das Privateigentum entwickelte und Besitz von einem der Söhne geerbt werden konnte, wurde der Vater an dem Sohn interessiert, der ihn einmal beerben könnte. Natürlich war es immer nur jener Sohn, der dem Vater als Nachfolger am geeignetsten schien — jener Sohn also, der ihm am meisten ähnelte und den er folglich am liebsten hatte. Vaterliebe ist bedingte Liebe. Ihr Grundsatz ist: »Ich liebe dich, *weil* du meine Erwartungen erfüllst, weil du deine Pflicht tust, weil du mir ähnlich bist.« Genau wie in der bedingungslosen Mutterliebe finden wir in der bedingten Vaterliebe einen negativen und einen positiven Aspekt. Der negative Aspekt ist die Tatsache, daß Vaterliebe verdient werden muß, daß man sie wieder verlieren kann, wenn man nicht das tut, was von einem erwartet wird. In der Natur der Vaterliebe liegt es, daß Gehorsam zur größten Tugend, Ungehorsam aber zur größten Sünde wird — und daß sie mit der Entziehung der Vaterliebe bestraft wird. Die positive Seite ist gleichermaßen wichtig. Da diese Liebe Bedingungen stellt, kann ich etwas tun, um sie zu erwerben; die Vaterliebe entzieht sich im Gegensatz zur Mutterliebe nicht meiner Kontrolle und Anstrengung.

Die Haltung des Vaters und der Mutter gegenüber dem Kind entsprechen den Bedürfnissen des Kindes. Der Säugling braucht die bedingungslose Liebe und Fürsorge der Mutter sowohl körperlich als auch psychisch. Um das sechste Lebensjahr herum beginnt das Kind jedoch, die Autorität und die Führung des Vaters zu brauchen. Die Mutter hat die Funktion, ihm Lebenssicherheit zu bieten; der Vater dagegen hat die Aufgabe, das Kind zu lehren und es bei der Auseinandersetzung mit den Problemen jener Gesellschaft zu führen, in die das Kind hineingeboren wurde und der es nun gegenübersteht. Die gute Mutter versucht nicht, das Kind am Aufwachsen zu hindern und ihm eine Belohnung für seine Hilflosigkeit zu bieten. Die Mutter sollte Vertrauen zum Leben haben; sie sollte nicht überängstlich sein und das Kind mit ihrer Ängstlichkeit anstecken. Sie sollte den Wunsch haben, daß das Kind unabhängig wird und sich schließlich völlig von ihr trennt.

Die Vaterliebe sollte dagegen von Grundsätzen und Erwartungen geleitet werden; sie sollte geduldig und tolerant, nicht aber drohend und autoritär sein. Sie sollte dem heranwachsenden Kind ein zunehmendes Gefühl seiner eigenen Kraft und Fähigkeit vermitteln und ihm schließlich erlauben, sich selbst Autorität zu werden und damit der des Vaters entbehren zu können.

Der reife Mensch ist schließlich an jenem Punkt angelangt, an dem er sozusagen zu seiner eigenen Mutter und zu seinem Vater wird. Er entwickelt ein mütterliches und väterliches Gewissen. Das mütterliche Gewissen sagt: »Es gibt keine Sünde, kein Verbrechen, das dich meiner Liebe und meiner Wünsche für dein Leben und dein Glück berauben könnte.« Das väterliche Gewissen dagegen sagt: »Du hast unrecht getan, und du kannst nicht vermeiden, die Konsequenzen zu tragen; vor allem aber mußt du dich ändern, wenn ich dich lieben soll.« Der reife Mensch hat sich von den äußeren Gestalten der Mutter und des Vaters befreit und hat sie dafür in sich selbst errichtet. Im Gegensatz zu Freuds Begriff des Über-Ich hat er sie jedoch nicht dadurch in sich errichtet, daß er Vater und Mutter sich einverleibt hat, sondern indem er das mütterliche Gewissen auf seiner eigenen Liebesfähigkeit, das väterliche Gewissen auf seine eigene Vernunft und Urteilskraft gegründet hat. Der reife Mensch lebt sowohl mit dem mütterlichen als auch mit dem väterlichen Gewissen, trotz der Tatsache, daß diese beiden sich zu widersprechen scheinen. Würde er lediglich das väterliche Gewissen entwickeln, würde er streng und unmenschlich werden; behielte er nur das mütterliche Gewissen, wäre er in Gefahr, seine Urteilskraft zu verlieren und sich wie auch andere in der Entwicklung zu hemmen.

In dieser Entwicklung von der mütterlichen zur väterlichen Bindung und ihrer schließlichen Synthese liegt die Basis für die seelische Gesundheit und die Erreichung der Reife. Im Versagen dieser Entwicklung dagegen liegt eine grundlegende Ursache für Neurosen. Weil es den Rahmen dieses Buches sprengen würde, diesen Gedankengang vollständig zu entwickeln, genügen vielleicht einige Bemerkungen, um diese Feststellung zu erläutern.

Eine Ursache für die neurotische Entwicklung findet sich zum Beispiel in der Tatsache, daß ein Knabe eine liebende, jedoch ihn viel zu sehr verwöhnende Mutter und gleichzeitig einen schwachen oder uninteressierten Vater hat. In diesem Fall ist es möglich, daß der Knabe der frühen Mutterbindung weiterhin verhaftet bleibt und sich dann zu einem Menschen entwickelt, der immer von der Mutter abhängig bleibt, der sich hilflos fühlt und von dem Trieb zu empfangen, beschützt zu werden, umsorgt zu werden, bestimmt ist, ohne die väterlichen Eigenschaften zu erwerben, nämlich Disziplin, Unabhängigkeit und die Fähigkeit, das Leben selbst zu meistern. Er wird versuchen, in allen Menschen »Mütter« zu finden, manchmal in Frauen und manchmal auch in Männern, die eine autoritäre und machtvolle Position einnehmen. Wenn andererseits die Mutter kalt, teilnahmslos oder tyrannisch ist, mag er das Verlangen nach mütterlicher Liebe auf den Vater übertragen, und er wird sich zu einem einseitig vater-orientierten Menschen entwickeln, der sich vollständig den Prinzipien von Gesetz, Ordnung und Autorität hingibt, dem jedoch die Fähigkeit fehlt, bedingungslose Liebe zu erwarten oder zu empfangen. Diese Entwicklung wird noch verstärkt, wenn der Vater autoritär und gleichzeitig dem Sohn eng verbunden ist. Weitere Untersuchungen mögen ergeben, daß gewisse Formen der Neurose, wie zum Beispiel die Zwangsneurose, sich mehr auf der Basis der einseitigen Bindung an den Vater entwickeln, während andere — wie Hysterie, Trunksucht, das Unvermögen der realistischen Auseinandersetzung mit dem Leben und Depressionen — aus einer einseitigen Mutterbindung resultieren.

3. Die Objekte der Liebe

Liebe ist in erster Linie nicht Bindung an eine besondere Person; sie ist vielmehr eine *Haltung*, eine Orientierung des Charakters, die das Verhältnis einer Person zur Welt als Ganzes, nicht aber zu einem einzigen »Objekt« der Liebe bestimmt. Wenn ein Mensch nur eine einzige andere Person liebt und seinen übrigen Mitmenschen gegenüber Gleichgültigkeit empfindet, ist seine Liebe nicht Liebe, sondern eine symbiotische Bindung oder ein gesteigerter Egoismus. Trotzdem glauben die meisten Menschen, daß die Liebe durch das Objekt und nicht durch die Fähigkeit bedingt ist. Tatsächlich glauben sie sogar, daß es ein Beweis für die Intensität ihrer Liebe sei, wenn sie außer der »geliebten« Person sonst niemanden lieben. Es ist der gleiche Trugschluß, den wir bereits an anderer Stelle erwähnten. Weil man die Liebe nicht als Aktivität ansieht, als eine Kraft der Seele, glaubt man, daß es nur nötig sei, das richtige Objekt zu finden — und daß dann alles übrige sich von selbst entwickele. Diese Haltung kann man mit der eines Menschen vergleichen, der ein Bild malen will, der jedoch — statt diese Kunst zu erlernen — behauptet, er müsse erst das richtige Objekt finden; wenn er es entdeckt hätte, könne er es auch malen. Wenn ich einen Menschen wirklich liebe, liebe ich alle Menschen, liebe ich die ganze Welt und liebe ich das Leben. Wenn ich zu einem anderen sagen kann: »Ich liebe dich«, muß ich auch sagen können: »Ich liebe in dir alle Menschen, ich liebe in dir die Welt, ich liebe in dir auch mich selbst.«

Die These, daß die Liebe eine Orientierung ist, die sich auf alle und nicht nur auf einen bezieht, bedeutet jedoch nicht, daß es zwischen den verschiedenen Arten der Liebe keine Unterschiede gäbe, die von der Art des geliebten Objektes abhängig sind.

a) Nächstenliebe

Die Liebe, die allen Arten der Liebe zugrunde liegt, ist die *Nächstenliebe*. Damit meine ich das Gefühl der Verantwortlichkeit, der Fürsorge, des Respektes und des Wissens gegenüber allen anderen menschlichen Wesen, also den Wunsch, das Leben des anderen zu fördern. Das ist auch jene Art von Liebe, von der die Bibel spricht, wenn sie sagt: Liebe deinen Nächsten wie dich selbst. Die Nächstenliebe ist Liebe zu allen menschlichen Wesen; charakteristisch für sie ist das Fehlen der Ausschließlichkeit. Wenn ich die Fähigkeit des Liebens entwickelt habe, kann ich nicht umhin, meinen Nächsten zu lieben. In der Nächstenliebe liegt das Erlebnis der Vereinigung mit allen Menschen, das Erlebnis der menschlichen Solidarität und der menschlichen Einheit. Die Nächstenliebe beruht auf dem

Wissen, daß wir alle eins sind. Die Unterschiede in Talent, Intelligenz und Wissen sind unwichtig im Vergleich zu der Identität des menschlichen Kerns, der allen Menschen gemeinsam ist. Um diese Identität zu erleben, muß man jedoch vom Rand zum Kern vordringen. Wenn ich bei einem anderen hauptsächlich die Oberfläche wahrnehme, sehe ich in der Hauptsache nur die Unterschiede, die uns trennen; wenn ich jedoch zum Kern vordringe, erkenne ich unsere Identität, die Tatsache unserer Brüderlichkeit. Diese Beziehung zwischen dem einen und dem anderen »Kern« — an Stelle des Verhältnisses von Oberfläche zu Oberfläche — ist das »zentrale Verhältnis«, oder wie Simone Weil es so schön ausgedrückt hat: »Die gleichen Worte (d. h. ein Mann sagt zu seiner Frau: ›Ich liebe dich!‹) können gewöhnlich oder außerordentlich sein, je nach der Art, wie sie ausgesprochen werden. Und diese Art des Aussprechens hängt ab von der Tiefe der Wesensschicht, aus der sie stammen, ohne daß der Wille hier irgend etwas vermöchte. Und infolge einer wunderbaren Übereinstimmung berühren sie bei dem Hörer die gleiche Schicht. So kann der Hörer, wenn er die Gabe der Unterscheidung besitzt, erkennen, was diese Worte wert sind.«[11]

Die Nächstenliebe ist Liebe zwischen Gleichen; aber selbt als Gleiche sind wir in Wirklichkeit nicht immer »gleich«, denn da wir Menschen sind, brauchen wir Hilfe — heute ich, morgen du. Dieses Verlangen nach Hilfe bedeutet nicht, daß der eine hilflos, der andere stark ist. Hilflosigkeit ist ein vorübergehender Zustand; die Fähig-

<hr>

[11] Simone Weil, *Schwerkraft und Gnade*. Deutsch von Friedhelm Kemp. 2. Auflage, München 1954, S. 151.

keit, auf eigenen Füßen zu stehen und zu gehen, ist dagegen der übliche und dauerhafte Zustand.

Die Liebe zu den Hilflosen, den Armen und Fremden ist die Grundlage der Nächstenliebe. Es ist nichts Besonderes, sein eigenes Fleisch und Blut zu lieben. Jedes Tier liebt seine Jungen und sorgt für sie. Der Hilflose liebt seinen Herrn, weil sein Leben von ihm abhängt; das Kind liebt seine Eltern, weil es sie braucht. Erst in der Liebe zu jenen, die meinen Zwecken nicht dienen können, beginnt die Liebe sich zu entfalten. Bezeichnenderweise sind die Armen im Alten Testament das zentrale Objekt der Menschenliebe, und nicht nur sie, sondern auch der Fremde, die Witwe und Waise und schließlich auch noch die Feinde der Nation, die Ägypter und die Edomiten. Im Mitleid mit dem Hilflosen fängt der Mensch an, die Liebe für seinen Nächsten zu entwickeln; und in der Liebe zu sich selbst liebt er auch jene, die Hilfe brauchen: die schwachen und ungesicherten menschlichen Wesen. Mitleid enthält das Element des Wissens und Erkennens. »Denn ihr wisset um der Fremdlinge Herz«, heißt es im Alten Testament, »dieweil ihr auch seid Fremdlinge im Ägypterland gewesen... *Darum sollt ihr auch die Fremdlinge lieben!*«[12]

b) Mutterliebe

Mit dem Wesen der Mutterliebe haben wir uns bereits in einem vorhergegangenen Kapitel befaßt, das den Unterschied zwischen Mutterliebe und Vaterliebe behandelte.

[12] Den gleichen Gedanken hat Hermann Cohen in seiner *Religion der Vernunft aus den Quellen des Judentums* ausgedrückt (2. Auflage, Frankfurt am Main 1929, S. 168 ff.).

Die Mutterliebe ist, wie ich bereits sagte, eine bedingungslose Bestätigung des kindlichen Lebens und seiner Notwendigkeiten. Hier muß jedoch noch etwas Wichtiges hinzugefügt werden. Die Bestätigung des kindlichen Lebens hat zwei Aspekte; der eine ist jene Fürsorge und jene Verantwortlichkeit, die zur Bewahrung und Entfaltung des kindlichen Lebens unbedingt notwendig sind. Der andere Aspekt geht jedoch noch über die Bewahrung hinaus. Es ist jene Haltung, die dem Kind die Liebe zum Leben einflößt, die ihm das Gefühl gibt: Es ist gut zu leben, es ist gut, ein kleiner Junge oder ein kleines Mädchen zu sein, es ist gut, auf dieser Erde zu sein! Diese beiden Aspekte der Mutterliebe werden sehr deutlich in der biblischen Schöpfungsgeschichte zum Ausdruck gebracht. Gott erschafft die Welt und den Menschen; dies entspricht der einfachen Fürsorge und Bejahung der Existenz. Gott geht jedoch darüber hinaus. Nach jedem Tag der Erschaffung von Natur und Mensch heißt es: Und Gott sah, daß es gut war. Ähnlich gibt die Mutterliebe in ihrem zweiten Aspekt dem Kind das Gefühl: Es ist gut, geboren zu sein. Es vermittelt dem Kind die *Liebe zum Leben* und nicht nur den Wunsch, leben zu bleiben. Der gleiche Gedanke kann auch in einem anderen Symbolismus der Bibel ausgedrückt sein. Vom Gelobten Land (Land ist immer ein Muttersymbol) heißt es, daß »darin Milch und Honig fließen«. Die Milch ist das Symbol für den ersten Aspekt der Liebe, für den der Fürsorge und Bestätigung. Der Honig symbolisiert die Süße des Lebens, die Liebe zum Leben und das Glück, am Leben zu sein. Die meisten Mütter sind in der Lage, »Milch« zu geben, aber nur eine Minderheit kann daneben auch noch »Honig« geben. Um Honig geben zu können, muß man nicht nur eine »gute Mutter«, sondern daneben noch ein glücklicher Mensch sein — und dieses Ziel wird nur von wenigen erreicht. Die Wirkung auf das Kind ist gar nicht zu überschätzen. Die mütterliche Liebe zum Leben ist genauso ansteckend wie die mütterliche Angst. Beide haben eine tiefgreifende Wirkung auf die ganze Persönlichkeit des Kindes; tatsächlich kann man bei Kindern — und auch bei Erwachsenen — deutlich unterscheiden, wer nur »Milch« und wer »Milch und Honig« bekommen hat.

Im Gegensatz zur Nächstenliebe und zur erotischen Liebe, die immer Liebe zwischen Gleichen sind, ist das Verhältnis zwischen Mutter und Kind seinem ganzen Wesen nach ein Verhältnis zwischen Ungleichen, bei dem der eine die ganze Hilfe braucht und der andere sie ihm gibt. Auf Grund dieser uneigennützigen und selbstlosen Eigenschaft gilt die Mutterliebe als die höchste Art der Liebe und als die geheiligste emotionelle Bindung. Es scheint jedoch, daß das Bewundernswerte an der Mutterliebe nicht in ihrer Liebe zu dem Säugling, sondern in der Liebe zum heranwachsenden Kind liegt. Es stimmt, daß die Mütter in der Mehrheit ausgesprochen liebende Mütter sind, solange das Kind noch klein und vollkommen von ihnen abhängig ist. Die meisten Frauen wünschen sich Kinder, sind glücklich über das Neugeborene und können es nicht erwarten, bis sie es selbst versorgen können. So ist es trotz der Tatsache, daß sie von dem Kind nichts »zurückerhalten«, abgesehen von einem Lächeln oder dem zufriedenen Ausdruck in seinem Gesicht. Es hat den Anschein, als läge die Wurzel zu dieser Haltung in einem Instinkt, den man bei Tieren genauso antrifft wie bei der menschlichen Mutter. Ungeachtet des Gewichts dieses Instinktes liegen jedoch auch ausgesprochen menschliche, psychologische Faktoren vor, die für diese Art von Mutterliebe verantwortlich sind. So kann man in ihr auch das Element der narzißtischen Liebe finden: Da die Mutter das Kind immer noch als einen Teil von sich selbst erlebt, kann ihre Liebe und Vernarrtheit auch eine Befriedigung ihres Narzißmus sein. Eine andere Wurzel ließe sich vielleicht in dem Wunsch der Mutter nach Macht oder Besitz entdecken. Das Kind, das vollkommen hilflos und ihrem Willen vollständig unterworfen ist, ist das natürliche Objekt für eine tyrannische und besitzgierige Mutter.

So häufig diese Motivierungen sind, so sind sie doch wahrscheinlich weniger wichtig als jene, die man als Streben nach Transzendenz bezeichnen könnte. Dieses Verlangen gehört zu den grundlegendsten Bedürfnissen des Menschen und beruht auf der Tatsache seines Selbstbewußtseins, auf der Tatsache, daß er sich nicht mit der Rolle der reinen Kreatur begnügen kann, daß er es nicht erträgt, nichts als der Würfel zu sein, der aus dem Becher gefallen ist. Er muß sich selbst als Schöpfer fühlen, als Wesen, das die passive Rolle des nur Erschaffenen transzendiert. Es gibt viele Möglichkeiten, dieses Bedürfnis des Erschaffens zu befriedigen; die natürlichste und elementarste ist die Fürsorge und die Liebe der Mutter für ihr Geschöpf. In dem Kind geht sie über sich selbst hinaus, ihre Liebe für das Kind gibt ihrem Leben Sinn und Bedeutung. (Gerade in der Unfähigkeit des Mannes, sein Verlangen nach Transzendenz durch das Gebären eines Kindes zu befriedigen, liegt für ihn der Zwang, sein Schöpfertum durch das Erschaffen der von Menschenhand stammenden Dinge und von Ideen zu beweisen.)

Aber das Kind muß heranwachsen. Es muß sich vom Mutterleib und von der Mutterbrust lösen; es muß schließlich ein vollkommen selbständiges menschliches Wesen werden. Das eigentliche Wesen der Mutterliebe liegt darin, für das Heranwachsen des Kindes zu sorgen, und das bedeutet, auch für die Trennung von Mutter und Kind. Hier haben wir den grundlegenden Unterschied zur erotischen Liebe. In der erotischen Liebe vereinigen sich zwei Menschen, die bisher getrennt waren; in der Mutterliebe dagegen werden zwei Menschen, die vorher eins waren, getrennt. Die Mutterliebe muß die Trennung vom Kind nicht nur dulden, sondern sie sogar wünschen und fördern. Erst in diesem Stadium wird die Mutterliebe zu einer schwierigen Aufgabe, da sie Selbstlosigkeit sowie die Fähigkeit verlangt, alles zu geben und nichts zu fordern außer dem Glück des Geliebten. Gerade in diesem Punkt versagen jedoch viele Mütter. Die narzißtische, die tyrannische und die besitzgierige Frau kann sehr gut eine »liebende« Mutter sein, solange das Kind klein ist. Aber nur die wirklich liebende Frau, jene Frau, die im Geben glücklicher ist als im Nehmen und in ihrer eigenen Existenz fest verwurzelt ist, kann auch dann eine liebende Mutter sein, wenn sich das Kind im Prozeß der Lostrennung befindet.

Die Mutterliebe für das heranwachsende Kind, die Liebe, die nichts für sich selbst will, ist vielleicht die schwierigste Form der Liebe, die es überhaupt gibt, und wegen der Leichtigkeit, mit der eine Mutter ihr kleines Kind liebt, auch die täuschendste. Aber gerade wegen dieser Schwierigkeit wird eine Frau nur dann eine wirklich liebende Mutter sein, wenn sie überhaupt *lieben* kann, wenn sie fähig ist, ihren Mann, andere Kinder, Fremde und überhaupt alle menschlichen Wesen zu lieben. Jene Frau, die in diesem Sinne zur Liebe unfähig ist, kann — solange das Kind klein ist — eine verwöhnende Mutter, aber niemals eine liebende Mutter sein; die Probe dafür ist die Bereitwilligkeit, die Trennung nicht nur zu ertragen, sondern auch nach der Trennung weiterhin zu lieben.

c) Erotische Liebe

Die Nächstenliebe ist Liebe zwischen Gleichen; die Mutterliebe ist Liebe für den Hilflosen. So verschieden sie voneinander sind, haben sie doch eine Gemeinsamkeit: Sie sind ihrem ganzen Wesen nach nicht auf eine einzige Person beschränkt. Wenn ich meinen Nächsten liebe, liebe ich alle Menschen; wenn ich mein Kind liebe, liebe ich auch meine anderen Kinder und darüber hinaus alle Kinder, alle, die meine Hilfe brauchen. Im Gegensatz zu diesen beiden Arten der Liebe steht die *erotische Liebe*; sie ist das Verlangen nach vollständiger Vereinigung, nach der Verschmelzung mit dem anderen. Ihrem ganzen Wesen nach ist sie ausschließlich und nicht allumfassend; sie ist aber auch vielleicht die irreführendste Form der Liebe, die es gibt.

Vor allem wird sie häufig mit dem explosiven Erlebnis des »Verliebens« verwechselt, mit dem plötzlichen Niederbrechen aller Barrieren, die bis dahin zwischen zwei einander Fremden bestanden. Wie bereits gesagt, ist dieses Erlebnis einer plötzlichen Intimität seinem ganzen Wesen nach jedoch sehr kurzlebig. Nachdem der Fremde zu einer intimen Person geworden ist, bestehen keine Barrieren mehr, die noch überwunden werden müßten, man braucht sich nicht mehr zu bemühen, einander nahezukommen. Der »geliebte« Mensch ist dem anderen genausogut — oder vielleicht sollte ich sagen: genausowenig — bekannt wie dieser sich selbst. Hätte das Erlebnis des anderen mehr Tiefe, dann würde dieser andere niemals so bekannt werden — und das Wunder des Überwindens von Barrieren würde dann vielleicht Tag für Tag von neuem eintreten. Für die meisten Menschen ist jedoch nicht nur die eigene Person, sondern auch die andere scheinbar bald erkannt und bald erschöpft, gerade weil sie in Wirklichkeit nur an der Oberfläche und nicht in der Tiefe erkannt ist. Für sie ist die Intimität in erster Linie durch die geschlechtliche Vereinigung verwirklicht. Da sie die Getrenntheit von anderen vor allem als körperliche Getrenntheit erleben, bedeutet die körperliche Vereinigung für sie zugleich die Überwindung der Getrenntheit.

Darüber hinaus gibt es noch eine Reihe anderer Faktoren, die für viele Menschen die Überwindung ihrer Getrenntheit bedeuten. Das Erzählen vom eigenen Leben, von den eigenen Hoffnungen und Ängsten, das Präsentieren der eigenen kindlichen oder kindischen Phantasien, die Tatsache gemeinsamer Interessen gegenüber der Welt — das alles gilt als Überwindung der Getrenntheit. Selbst den eigenen Ärger und den eigenen Haß zu zeigen, ja der völlige Mangel an Hemmungen gilt als Intimität, und damit erklärt sich vielleicht auch die pervertierte Anziehung, die Ehepaare häufig füreinander empfinden, die nur dann intim zu sein scheinen, wenn sie miteinander schlafen oder wenn sie ihrem gegenseitigen Haß freien Lauf lassen. Diese Arten von »Nähe« haben jedoch die Eigenschaft, im Laufe der Zeit immer mehr zu schwinden. Die

Folge ist, daß man bei einem neuen Menschen Liebe sucht, bei einem neuen Fremden. Wieder verwandelt sich der Fremde in einen »intimen« Menschen, wieder ist das Erlebnis des Verliebens voller Freude und Intensität, und wieder nimmt es langsam immer mehr ab, bis das Verlangen nach einer neuen Eroberung, nach einer neuen Liebe entsteht — immer mit der Illusion, daß die neue Liebe anders sein wird als die bisherigen. Gefördert wird diese Illusion noch von dem täuschenden Charakter des sexuellen Verlangens.

Das sexuelle Verlangen zielt auf Vereinigung — und ist keineswegs nur eine physische Begierde, die Lösung einer quälenden Spannung. Das sexuelle Verlangen kann jedoch noch durch die Angst vor der Einsamkeit gesteigert werden oder durch den Wunsch, zu erobern oder erobert zu werden, durch Eitelkeit, durch das Verlangen, zu verletzen oder sogar zu zerstören — aber auch durch Liebe. Es scheint, daß das sexuelle Verlangen sich mit jedem intensiven Gefühl vermischen und durch jedes intensive Gefühl noch gesteigert werden kann, daher auch durch die Liebe. Da das sexuelle Verlangen in der Ansicht der meisten Menschen mit der Liebe verbunden ist, kommen sie sehr leicht zu dem irreführenden Schluß, daß man sich liebt, wenn man sich körperlich besitzen will. Liebe kann zweifellos das Verlangen nach sexueller Vereinigung auslösen. In diesem Fall fehlt der physischen Beziehung die Gier und der Wunsch, zu erobern oder erobert zu werden; dafür enthält sie Zärtlichkeit. Wenn das Verlangen nach physischer Vereinigung nicht durch Liebe bedingt wird, wenn die erotische Liebe also nicht auch Nächstenliebe ist, führt sie immer nur zu einer Vereinigung in orgiastischem, vorübergehendem Sinne. Die sexuelle Anziehung schafft zwar im Augenblick die Illusion der Vereinigung, aber ohne Liebe bleiben nach dieser »Vereinigung« Fremde zurück, die genauso weit voneinander entfernt sind wie vorher; Fremde, die sich dann voreinander schämen oder sich hinterher hassen, weil sie die gegenseitige Fremdheit nach dem Verschwinden der Illusion stärker spüren als vorher. Die Zärtlichkeit ist keineswegs, wie Freud glaubte, eine Sublimierung des Sexualinstinktes; sie ist der unmittelbare Ausdruck der Nächstenliebe und findet sich sowohl in den physischen als auch in den nicht-physischen Formen der Liebe.

In der erotischen Liebe gibt es eine Ausschließlichkeit, die sowohl der Nächstenliebe als auch der Mutterliebe fehlt. Dieser ausschließliche Charakter der erotischen Liebe erfordert noch eine nähere Betrachtung. Häufig wird die Ausschließlichkeit der erotischen Liebe fälschlich als besitzergreifende Bindung ausgelegt. Man findet oft zwei Menschen, die sich gegenseitig lieben, für andere jedoch keinerlei Liebe empfinden. Ihre Liebe ist in Wirklichkeit ein gemeinsamer Egoismus; es sind Menschen, die sich selbst nur mit dem Partner identifizieren und das Problem der Getrenntheit dadurch lösen, daß sie das einzelne Individuum in zwei Individuen aufteilen. Sie glauben die Einsamkeit überwunden zu haben; da sie sich von der übrigen Menschheit jedoch zurückgezogen haben, bleiben sie auch untereinander getrennt und einander entfremdet. Das Erlebnis der Vereinigung ist für sie also eine Illusion. Die erotische Liebe ist ausschließlich, liebt jedoch im anderen die ganze Menschheit, alles Lebende. Ausschließlich ist sie nur insoweit, als ich mich nur mit einem einzigen Menschen vollständig, das heißt seelisch und körperlich, verschmelzen kann. Erotische Liebe schließt Liebe für andere also nur insofern aus, als es sich um die erotische Vereinigung handelt, um völlige Hingabe in allen Aspekten des Lebens — nicht aber im Sinne einer tiefen Nächstenliebe.

Wenn es sich wirklich um Liebe handelt, hat die erotische Liebe eine Voraussetzung: daß ich aus dem Wesen meines Seins liebe — und den anderen im Wesen seines Seins erlebe. In ihrem Wesen sind sich alle Menschen gleich. Wir alle sind Teile des Einen; wir sind das Eine. Da es so ist, sollte es eigentlich völlig gleich sein, wen wir lieben. Im wesentlichen sollte die Liebe ein Akt des Willens sein, eine Entscheidung, mein Leben dem des anderen vollkommen hinzugeben. Und das ist auch die Idee, die hinter der Vorstellung von der Unauflöslichkeit der Ehe wie auch hinter den vielen Formen der traditionellen Ehe steht, bei denen sich die Partner nicht selbst wählen, sondern füreinander ausgesucht werden — mit der Erwartung, daß sie sich gegenseitig lieben werden. In der zeitgenössischen westlichen Kultur erscheint diese Vorstellung als durchaus falsch. Man glaubt, daß die Liebe das Ergebnis einer spontanen, gefühlsmäßigen Reaktion ist, daß der Mensch plötzlich von einem unwiderstehbaren Gefühl ergriffen wird. In dieser Ansicht erkennt man nur die Besonderheiten der beiden beteiligten Individuen — und nicht die Tatsache, daß alle Männer ein Teil Adams und alle Frauen ein Teil Evas sind. Man weigert sich, in der erotischen Liebe einen wichtigen Faktor zu erkennen, nämlich den des Willens. Einen anderen zu lieben, ist nicht nur ein starkes Gefühl — es ist eine Entscheidung, ein Urteil, ein Versprechen. Wäre die Liebe nur ein Gefühl, gäbe es keine Basis für das

Versprechen, einander für immer zu lieben. Ein Gefühl kommt und verschwindet dann vielleicht wieder. Wie kann ich beurteilen, ob es für immer bleiben wird, wenn mein Akt nicht zugleich Urteil und Entscheidung ist?

Von diesem Standpunkt aus könnte man dahin kommen, in der Liebe ausschließlich einen Akt des Willens und der Hingabe zu sehen und zu glauben, daß es grundsätzlich keine Rolle spiele, wer die beiden Personen seien. Ob die Ehe von anderen zustande gebracht wurde oder das Ergebnis einer individuellen Wahl war — sobald die Ehe einmal geschlossen ist, sollte der Wille eigentlich den Fortbestand der Liebe sichern. Diese Ansicht scheint den paradoxen Charakter der menschlichen Natur und den der erotischen Liebe zu verkennen. Wir alle sind eins — und trotzdem ist jeder von uns ein einmaliges und nicht wiederholbares Wesen. Sofern wir alle eins sind, können wir jeden im Sinne der Nächstenliebe gleichermaßen lieben; sofern wir jedoch verschieden sind, erfordert die erotische Liebe bestimmte einmalige und völlig individuelle Elemente, die zwar zwischen einigen Menschen, jedoch nicht zwischen allen bestehen.

Beide Ansichten — die der erotischen Liebe als einer völlig individuellen Anziehung, einmalig zwischen zwei besonderen Menschen, und die der erotischen Liebe als lediglich einem Akt des Willens — sind daher richtig; oder man sollte vielleicht sagen, die Wahrheit liegt weder in der einen noch in der anderen Auffassung. Deshalb ist die Vorstellung von einer Bindung, die leicht wieder gelöst werden kann, wenn man mit ihr keinen Erfolg hat, genauso irrig wie die Vorstellung, daß diese Verbindung unter keinen Umständen wieder gelöst werden dürfe.

d) Selbstliebe

Während der Begriff der Liebe zu anderen als selbstverständlich hingenommen wird, ist der Glaube weit verbreitet, daß es zwar eine Tugend ist, andere zu lieben, aber eine Sünde, sich selbst zu lieben. Man ist der Ansicht, daß man in dem Maße, in dem man sich selbst liebt, die anderen nicht liebt, daß Selbstliebe also dasselbe ist wie Selbstsucht. Diese Ansicht reicht im westlichen Denken sehr weit zurück. Calvin bezeichnet die Selbstliebe als »eine Pest«.[13] Freud spricht von der Selbstliebe zwar in psychiatrischen Wendungen, aber sein Werturteil ist dasselbe wie das Calvins. Für ihn ist die Selbstliebe nichts anderes als Narzißmus, die Hinwendung der Libido auf sich selbst. Der Narzißmus ist das früheste Stadium der menschlichen Entwicklung, und der Mensch, der später zu diesem Stadium zurückkehrt, ist unfähig zu lieben; im Extrem ist er wahnsinnig. Freud nimmt an, daß Liebe die Manifestation der Sexualität ist und daß die Libido sich entweder anderen — als Liebe — oder der eigenen Person — als Selbstliebe — zuwendet. Liebe und Selbstliebe schließen sich daher gegenseitig insofern aus, als wenn von der einen mehr, von der anderen dann nur weniger vorhanden sein kann. Wenn die Selbstliebe ein Laster ist, so folgt daraus, daß Selbstlosigkeit eine Tugend ist.

Hier erheben sich folgende Fragen: Unterstützt die psychologische Beobachtung die These, daß ein grundlegender Widerspruch zwischen der Liebe zu sich selbst und der Liebe zu anderen besteht? Ist die Liebe zu sich

---

[13] Johann Calvin, *Christianae religionis Institutio* (dt.: Unterricht in der christlichen Religion).

selbst das gleiche wie Selbstsucht, oder sind sich beide einander entgegengesetzt? Ferner: Ist die Selbstsucht des modernen Menschen wirklich eine *Liebe zu sich selbst* mit all ihren intellektuellen und emotiellen Möglichkeiten? *Ist Selbstsucht dasselbe wie Selbstliebe oder ist sie nicht gerade das Resultat des Mangels an Selbstliebe?*

Bevor wir uns mit dem psychologischen Aspekt von Selbstsucht und Selbstliebe befassen, müssen wir auf den logischen Trugschluß hinweisen, der in der Vorstellung liegt, daß die Liebe zu anderen und die Liebe zu sich selbst einander ausschließen. Wenn es eine Tugend ist, meinen Nächsten als menschliches Wesen zu lieben, muß es auch eine Tugend — und nicht ein Laster — sein, mich selbst zu lieben, da ich ja auch ein menschliches Wesen bin. Es gibt keinen Begriff des Menschen, in den ich selbst nicht auch einbezogen bin. Ein Grundsatz, der dies behauptet, wäre in sich widerspruchsvoll. Die in der Bibel ausgedrückte Vorstellung — »Liebe deinen Nächsten wie *dich selbst!*« — besagt, daß die Achtung vor der eigenen Integrität und Einmaligkeit, die Liebe zu sich selbst und das Verständnis für sich selbst nicht von der Achtung, der Liebe und dem Verständnis getrennt werden können, die ich für andere empfinde. Die Liebe zu mir selbst ist mit der Liebe zu einem anderen Wesen untrennbar verbunden.

Damit sind wir zu den grundlegenden psychologischen Voraussetzungen gekommen, auf denen die Folgerungen unserer Argumentation aufgebaut sind. Ganz allgemein gesehen, bestehen folgende Voraussetzungen: Nicht nur andere, auch wir selbst sind »Objekte« unserer Gefühle und Haltungen; die Haltungen sowohl anderen als auch uns selbst gegenüber widersprechen sich nicht, sondern laufen parallel. Im Hinblick auf unser Problem bedeutet dies: Die Liebe zu anderen und die Liebe zu uns selbst ist keine Alternative. Ganz im Gegenteil: Die Liebe zu uns selbst findet sich bei allen, die fähig sind, andere zu lieben. *Die Liebe ist* im Prinzip *unteilbar, soweit es sich dabei um die Beziehung zu »Objekten« und zu uns selbst handelt.* Wirkliche Liebe ist ein Ausdruck der inneren Produktivität und umfaßt Fürsorge, Respekt, Verantwortlichkeit und Wissen. Sie ist kein »Affekt« in dem Sinn des passiven Getriebenwerdens, sondern ein aktives Streben nach der Entfaltung und dem Glück der geliebten Person, das in der eigenen Fähigkeit zur Liebe wurzelt.

Die Tatsache, daß man einen anderen liebt, ist die Verwirklichung der Kraft, überhaupt zu lieben. Die grundsätzliche, in der Liebe enthaltene Bejahung ist auf die geliebte Person als Verkörperung des Menschen und seiner menschlichen Eigenschaften gerichtet. Die Liebe zu einem Menschen umfaßt die Liebe zu den Menschen als solche. Die Art der »Arbeitsteilung«, bei der man zwar die eigene Familie liebt, für den »Fremden« jedoch nichts empfindet, ist ein Zeichen für die grundsätzliche Unfähigkeit zu lieben. Die Liebe zum Menschen ist nicht, wie häufig angenommen wird, eine Abstraktion, die hinter der Liebe zu einer besonderen Person rangiert, sondern ihre Voraussetzung, obgleich sie ihrer Entstehung nach sich durch die Liebe zu besonderen Individuen entwickelt.

Daraus folgt, daß mein eigenes Selbst genauso ein Objekt meiner Liebe sein muß wie irgendeine andere Person. *Die Bejahung des eigenen Lebens, Glücks und Entfaltens sowie der eigenen Freiheit beruht in der eigenen Fähigkeit des Liebens,* das heißt in Fürsorge, Respekt, Verantwortlichkeit und Wissen. Wenn ein Individuum in der Lage ist, schöpferisch zu lieben, liebt es sich selbst auch; wenn es jedoch *nur* den anderen lieben kann, ist es unfähig zu lieben.

Angenommen, die Liebe zu sich selbst und zu anderen läuft im Prinzip parallel — wie erklären wir dann die Selbstsucht, die offensichtlich jedes wirkliche Interesse für andere ausschließt? Die *selbstsüchtige* Person ist nur an sich selbst interessiert, will alles nur für sich und empfindet keine Freude im Geben, sondern lediglich am Nehmen. Die Umwelt interessiert nur, soweit man etwas aus ihr herausholen kann; das Interesse an anderen fehlt, und genauso ist es mit dem Respekt gegenüber der Würde und Integrität anderer. Der Selbstsüchtige sieht nur sich selbst, beurteilt alle und alles nach der Nützlichkeit für sich selbst und ist grundsätzlich nicht fähig zu lieben. Beweist diese Feststellung nicht, daß das Interesse für sich selbst und das Interesse an anderen unvermeidbare Alternativen sind? Richtig wäre diese Annahme, wenn Selbstsucht und Selbstliebe ein und dasselbe wären. Gerade das aber ist der Irrtum, der innerhalb dieses Problems zu so vielen falschen Schlüssen geführt hat. *Selbstsucht und Selbstliebe sind keineswegs miteinander identisch, sondern in Wirklichkeit Gegensätze.* Der selbstsüchtige Mensch liebt sich selbst nicht zuviel, sondern zuwenig. Der Mangel an Liebe und Fürsorge für sich, der lediglich ein Ausdruck des Mangels an innerer Produktivität ist, läßt ihn leer und enttäuscht zurück. Notwendigerweise ist er unglücklich und ängstlich darauf bedacht, sich das Glück, das er sich selbst verbaut hat, gierig durch alle Arten von Befriedigungen dem Leben zu entreißen. Er scheint zuviel für sich selbst zu sorgen, macht jedoch tatsächlich nur den mißlungenen Versuch, das eigene Versagen in der Fürsorge für sein wirkliches Selbst zu überdecken und zu kompensieren. Freud vertritt die Ansicht, daß die selbstsüchtige Person narzißtisch sei, als hätte sie ihre Liebe anderen entzogen und sie dann auf sich selbst gerichtet. *Es stimmt, daß selbstsüchtige Menschen unfähig sind, andere zu lieben; sie sind jedoch genauso unfähig, sich selbst zu lieben.*

Die Selbstsucht ist leichter zu verstehen, wenn man sie mit dem besitzgierigen Interesse vergleicht, das man zum Beispiel bei einer überängstlichen Mutter findet. Während sie ehrlich überzeugt ist, ihrem Kind besonders zugetan zu sein, empfindet sie tatsächlich eine allerdings fast völlig verdrängte Feindschaft gegen das Objekt ihrer Zuneigung. Überbesorgt ist sie nicht, weil sie das Kind zu sehr liebt, sondern weil sie einen Ausgleich haben muß für ihren Mangel an Fähigkeit, das Kind überhaupt zu lieben.

Diese Theorie vom Wesen der Selbstsucht entspricht den psychoanalytischen Erfahrungen mit der neurotischen »Selbstlosigkeit« — einem Symptom der Neurose, das man bei nicht wenigen Menschen beobachtet, die gewöhnlich nicht von diesem Symptom, sondern von anderen gequält werden, die damit zusammenhängen, wie Depression, Müdigkeit, Arbeitsunfähigkeit, Versagen in Liebesbeziehungen und so weiter. Es ist jedoch nicht so, daß Selbstlosigkeit als »Symptom« empfunden wird; häufig gilt sie als der einzige befriedigende Charakterzug, auf den man stolz ist. Der »selbstlose« Mensch »will nichts für sich«; er »lebt nur für andere« und ist stolz darauf, sich selbst nicht wichtig zu nehmen. Er ist erstaunt, wenn er feststellt, daß er trotz seiner Selbstlosigkeit unglücklich ist und daß sein Verhältnis zu seinen Nächsten unbefriedigend ist. Die Analyse zeigt, daß seine Selbstlosigkeit zu den übrigen Symptomen gehört, ja oft eines der wichtigsten ist; daß dieser Mensch in seiner Fähigkeit zu lieben und zur Freude gelähmt ist, daß er von Feindschaft gegen das Leben erfüllt ist und daß sich hinter der Fassade der Selbstlosigkeit eine starke, wenn auch unbewußte Egozentrizität verbirgt. Dieser Mensch kann nur geheilt werden, wenn man auch in seiner »Selbstlosigkeit« ein den anderen entsprechendes Symptom sieht, so daß der Mangel an Produktivität, d. h. die Wurzel sowohl der Selbstlosigkeit als auch anderer Störungen, behoben werden kann.

Das Wesen der Selbstlosigkeit wird besonders in seiner Wirkung auf andere deutlich — in unserer Kultur am häufigsten in der Wirkung der »selbstlosen« Mutter auf ihre Kinder. Sie glaubt, daß die Kinder durch ihre Selbstlosigkeit erkennen, was es heißt, geliebt zu werden, und daß sie andererseits dadurch erkennen und lernen, was lieben heißt. Die Wirkung ihrer Selbstlosigkeit entspricht jedoch keineswegs ihren Erwartungen. Die Kinder zeigen nicht das Glück von Menschen, die überzeugt sind, geliebt zu werden; sie sind ängstlich, angespannt, fürchten die Mißbilligung der Mutter und bemühen sich ständig, ihren Erwartungen zu entsprechen. Gewöhnlich werden sie von der versteckten Lebensfeindlichkeit und Lebensangst ihrer Mutter angesteckt, die sie nicht so sehr bewußt erkennen als vielmehr spüren. Alles in allem ist die Wirkung der »selbstlosen« Mutter von der der selbstsüchtigen gar nicht so verschieden; vielmehr ist sie häufig noch schlimmer, weil die Selbstlosigkeit der Mutter die Kinder davon abhält, sie zu kritisieren. Sie leben unter dem Zwang, die Mutter nicht zu enttäuschen; unter der Maske der Tugend lehrt man sie, das Leben zu verachten. Wenn man die Möglichkeit hat, die Wirkung einer Mutter mit echter Selbstliebe zu beobachten, kann man feststellen, daß es für ein Kind und sein Erlebnis dessen, was Liebe, Freude und Glück sind, nichts Förderlicheres gibt, als von einer Mutter geliebt zu werden, die sich selbst liebt.

Diese Idee der Selbstliebe kann nicht besser zusammengefaßt werden als in einem Zitat Meister Eckeharts: »Hast du dich selbst lieb, so hast du alle Menschen lieb wie dich selbst. Solange du einen einzigen Menschen weniger lieb hast als dich selbst, so hast du dich selbst nie wahrhaft lieb gewonnen, — wenn du nicht alle Menschen so lieb hast wie dich selbst, in einem Menschen alle Menschen; und dieser Mensch ist Gott und Mensch. So steht es recht mit einem solchen Menschen, der sich selbst lieb hat und alle Menschen so lieb wie sich selbst, und mit dem ist es gar recht bestellt.«[14]

e) Gottesliebe

Vorhin wurde festgestellt, daß die Grundlage für unser Verlangen nach Liebe in dem Erlebnis der Getrenntheit und dem daraus resultierenden Verlangen liegt, die Angst der Getrenntheit durch das Erlebnis der Vereinigung zu überwinden. Die religiöse Form der Liebe, die Liebe zu Gott, ist psychologisch gesehen nichts anderes. Sie ent-

[14] Meister Eckehart, *Deutsche Predigten und Traktate.* Hsg. und übers. von Josef Quint. München 1955. S. 214 (Predigt 13).

springt ebenfalls dem Verlangen, die Getrenntheit zu überwinden und Einheit zu erleben. Tatsächlich hat die Liebe zu Gott genauso viele Formen und Aspekte wie die Liebe zum Menschen — und zu einem großen Teil finden wir auch die gleichen Unterschiede.

In allen theistischen Religionen, seien sie nun polytheistisch oder monotheistisch, verkörpert Gott den höchsten Wert, das höchste Gut. Daher hängt die besondere Bedeutung Gottes immer von dem ab, was dem Menschen als das höchste Gut erscheint. Die Analyse des Gottesbegriffes muß daher bei der Analyse der charakterlichen Struktur des Menschen beginnen, der Gott anbetet.

Die Entwicklung der Menschheit kann, soweit sie uns bekannt ist, als Loslösung des Menschen von der Natur, von der Mutter, von den Bindungen an Blut und Boden gekennzeichnet werden. Am Anfang der Menschheitsgeschichte klammert sich der Mensch, obwohl aus der ursprünglichen Einheit mit der Natur gestoßen, immer noch an diese primären Bindungen. Er findet seine Sicherheit darin, daß er sich an diese ursprünglichen Bindungen hält. Immer noch fühlt er sich identisch mit der Welt der Tiere und Bäume und versucht, die Einheit darin zu finden, daß er mit der Natur eins bleibt. Viele primitiven Religionen zeugen für dieses Entwicklungsstadium. Ein Tier wird als Totem verehrt; man trägt Tiermasken bei den besondes feierlichen religiösen Handlungen oder im Krieg, oder man betet ein Tier als Gott an. In einem späteren Entwicklungsstadium, als die menschliche Geschicklichkeit sich bis zu Handwerk und Kunst fortentwickelt hat und der Mensch nicht mehr ausschließlich auf die Gaben der Natur angewiesen ist — also auf die

Früchte, die er findet, und auf die Tiere, die er erlegt —, verwandelt der Mensch das Produkt seiner eigenen Hände in einen Gott. Es ist das Stadium, in dem Götzen aus Ton, Silber oder Gold angebetet werden. Der Mensch projiziert seine eigenen Kräfte und seine eigene Geschicklichkeit in die von ihm hergestellten Dinge und betet nun in entfremdeter Form seine eigene Macht und seinen Besitz an. In einem noch späteren Stadium gibt der Mensch seinen Göttern die Gestalt menschlicher Wesen. Es scheint, daß es dazu nur dann kommen kann, wenn der Mensch seiner selbst deutlicher gewahr geworden ist und wenn er entdeckt hat, daß der Mensch das höchste und erhabenste »Ding« der Welt ist. In dieser Phase der anthropomorphen Gottesanbetung finden wir eine Entwicklung, die in zwei Richtungen geht. Die eine bezieht sich auf das weibliche, beziehungsweise männliche Geschlecht der Götter, die andere auf den Grad der Reife, den der Mensch erreicht hat und der das Wesen seiner Götter sowie die Art seiner Liebe zu ihnen bestimmt.

Sprechen wir zuerst von der Entwicklung der Religionen, in deren Mittelpunkt die Mutter steht, zu jenen, die um den Vater Gott zentriert sind. Entsprechend den großen und entscheidenden Entdeckungen Bachofens und Morgans in der Mitte des 19. Jahrhunderts und trotz der Ablehnung, auf die ihre Funde in den meisten akademischen Kreisen gestoßen sind, kann es kaum einen Zweifel daran geben, daß es — zumindest in vielen Kulturen — eine matriarchalische Phase der Religionen gegeben hat, die der patriarchalischen vorausging. In der matriarchalischen Phase ist die Mutter das höchste Wesen. Sie ist die Göttin, sie ist auch die Autorität in Familie und Gesellschaft. Um das Wesen der matriarchalischen Religion zu verstehen, brauchen wir uns nur an das zu erinnern, was über das Wesen der Mutterliebe gesagt wurde. Die Mutterliebe ist bedingungslos, ist allbewahrend und allfördernd; weil sie bedingungslos ist, ist sie weder kontrollierbar noch erringbar. Ihr Dasein gibt dem geliebten Menschen das Gefühl des Segens; ihr Fehlen ruft ein Gefühl von Verlorenheit und Verzweiflung hervor. Da die Mutter ihre Kinder liebt, weil es ihre Kinder sind, nicht aber, weil sie »gut« und gehorsam sind oder weil sie ihre Wünsche und Anordnungen erfüllen, beruht die Mutterliebe auf Gleichheit. Alle Menschen sind gleich, weil sie Kinder einer einzigen Mutter sind, weil sie Kinder der Mutter Erde sind.

Das nächste Stadium der menschlichen Evolution — das einzige, von dem wir genaue Kenntnis haben und bei dem wir nicht auf Rekonstruktionen angewiesen sind — ist die patriarchalische Phase. In dieser Phase wird die Mutter von ihrer höchsten Stellung entthront; der Vater wird zum höchsten Wesen, und zwar sowohl in der Religion als auch in der Gesellschaft. Wesentlich bei der Liebe des Vaters ist, daß sie Forderungen stellt, daß sie Prinzipien und Gesetze aufstellt und daß die Liebe zu dem Sohn von dessen Gehorsam gegenüber den Forderungen abhängt. Am liebsten hat er jenen Sohn, der ihm am meisten ähnelt, der am gehorsamsten ist und der am geeignetsten scheint, sein Nachfolger als Erbe seines Besitzes zu sein. (Die Entwicklung der patriarchalischen Gesellschaft läuft parallel mit der Entwicklung des Privateigentums.) Demnach ist also die patriarchalische Gesellschaft hierarchisch; die ursprüngliche Gleichheit der Brüder weicht der Ungleichheit und dem Streben eines jeden, der Erste zu sein. Ob wir an die indische, an die ägyptische oder an die griechische Kultur, an die jüdisch-christliche oder an die islamische Religion denken — immer befinden wir uns in einer patriarchalischen Welt mit männlichen Göttern, über die ein Hauptgott herrscht oder bei der, mit Ausnahme des Einen, *des* Gottes, die anderen verschwanden. Da das Verlangen nach Mutterliebe jedoch in den Herzen der Menschen nicht ausgemerzt werden kann, ist es keine Überraschung, daß die Gestalt der liebenden Mutter nie ganz aus dem Pantheon vertrieben werden konnte. In der jüdischen Religion treten die Mutteraspekte Gottes besonders in den verschiedenen Strömungen des Mystizismus wieder auf. In der katholischen Religion wird die Mutter von der Mutter-Kirche und von der Jungfrau Maria symbolisiert. Selbst im Protestantismus ist die Gestalt der Mutter nicht völlig ausgelöscht, wenn sie auch im verborgenen bleibt. Luther stellte als bedeutendsten Leitsatz die These auf, daß nichts, was der Mensch täte, die Liebe Gottes hervorrufen könne. Gottes Liebe sei Gnade, und die religiöse Haltung liege darin, Vertrauen in diese Gnade zu haben, sich selbst klein und hilfsbedürftig zu machen. Keine gute Tat könne Gott beeinflussen — oder dafür sorgen, daß Gott uns liebe, wie die katholischen Lehren postulieren. So trägt die lutherische Lehre — trotz ihres patriarchalischen Charakters — ein verstecktes matriarchalisches Element in sich.

Ich mußte diesen Unterschied zwischen den matriarchalischen und den patriarchalischen Elementen in der Religion erwähnen, um damit zu zeigen, daß der Charakter der Liebe zu Gott von dem relativen Gewicht der matriarchalischen und der patriarchalischen Aspekte der Religion abhängt. Der patriarchalische Aspekt läßt mich Gott wie einen Vater lieben; ich glaube, daß er gerecht und streng ist, daß er straft und belohnt und daß er mich schließlich zu seinem Lieblingssohn machen wird, wie Gott Abraham auserwählte, wie Isaak seinen Sohn Jakob bevorzugte und Gott das Auserwählte Volk. Im matriarchalischen Aspekt der Religion liebe ich Gott als allumfassende Mutter. Ich habe Vertrauen zu ihrer Liebe; ob ich auch arm und machtlos bin oder ob ich gesündigt habe, immer wird sie mich lieben, und nie wird sie eines ihrer anderen Kinder mir vorziehen. Was immer auch geschieht — sie wird mir helfen, wird mich retten und wird mir vergeben. Selbstverständlich kann meine Liebe zu Gott und Gottes Liebe zu mir nicht getrennt werden. Wenn Gott ein Vater ist, liebt er mich wie einen Sohn, und ich liebe ihn wie einen Vater. Wenn Gott eine Mutter ist, wird meine und ihre Liebe davon bestimmt.

Der Unterschied zwischen den Mutter- und Vateraspekten der Liebe zu Gott ist jedoch nur ein Faktor in der Bestimmung des Wesens dieser Liebe; der andere ist der Grad der Reife, den das Individuum in seinem Gottesbegriff und in seiner Liebe zu Gott erreicht hat.

Nachdem sich die Evolution der menschlichen Rasse von der Gesellschaftsstruktur, in deren Mitte die Mutter stand, zu jener Struktur umschichtete, in deren Mitte der Vater steht, können wir die Entwicklung einer reifer werdenden Liebe hauptsächlich in der Entwicklung der patriarchalischen Religion verfolgen.[15] Zu Beginn dieser Entwicklung

[15] Dies gilt besonders für die monotheistischen Religionen des Westens. In indischen Religionen behielt die Muttergestalt einen

94

finden wir einen despotischen, eifersüchtigen Gott, der den Menschen, den er selbst erschaffen hat, als sein Eigentum betrachtet, mit dem er machen kann, was ihm gefällt. Das ist die Phase der Religion, in der Gott den Menschen aus dem Paradies vertreibt, damit er nicht weiter vom Baum der Erkenntnis äße und so selbst Gott werden könne; es ist auch die Phase, in der Gott beschließt, die menschliche Rasse durch die Sintflut zu vernichten, weil keiner der Menschen ihm Freude macht — mit Ausnahme seines Lieblingssohnes Noah. Es ist ferner die Phase, in der Gott verlangt, daß Abraham seinen einzigen, seinen geliebten Sohn Isaak töten soll, um seine Liebe zu Gott durch die Tat äußersten Gehorsams zu beweisen. Gleichzeitig beginnt jedoch eine neue Phase. Gott schließt mit Noah einen Bund, in welchem er verspricht, die menschliche Rasse nie mehr zu vernichten — ein Bündnis, durch das er sich selbst verpflichtet. Er ist aber nicht nur durch sein Versprechen gebunden; er ist auch durch sein eigenes Prinzip gebunden, nämlich durch das Prinzip der Gerechtigkeit, und auf Grund dessen muß Gott auch Abrahams Forderung nachgeben, Sodom zu verschonen, wenn mindestens zehn Gerechte dort wären. Die Entwicklung geht jedoch noch weiter als bis zur Umwandlung Gottes aus der Gestalt eines despotischen Stammeshäuptlings in einen liebenden Vater, in einen Vater, der sich durch Grundsätze gebunden hat, die er selbst aufgestellt hat; sie geht in die Richtung der Umwandlung Gottes aus der Gestalt

erheblichen Teil ihres Einflusses, so zum Beispiel die Göttin Kali; im Buddhismus und im Taoismus war der Begriff eines Gottes — oder einer Göttin — ohne wesentliche Bedeutung, wenn nicht sogar völlig ausgelöscht.

eines Vaters in ein Symbol des Prinzips der Gerechtigkeit, Wahrheit und Liebe. Gott *ist* Liebe, Gott *ist* Gerechtigkeit. Innerhalb dieser Entwicklung hört Gott auf, eine Person, ein Mann, ein Vater zu sein; er wird zum Prinzip der Einheit hinter der Mannigfaltigkeit der Phänomene. Gott kann keinen Namen haben. Nur ein Ding, eine Person, ein Begrenztes kann einen Namen haben. Wie kann Gott aber einen Namen haben, wenn er weder eine Person noch ein Ding ist?

Das schlagendste Beispiel für diese Entwicklung liegt in der biblischen Geschichte von der göttlichen Offenbarung vor Moses. Als Moses sagt, die Hebräer würden ihm nicht glauben, daß Gott ihn gesandt habe, wenn er ihnen nicht den Namen Gottes nennen könne (denn wie können Götzenanbeter einen namenlosen Gott begreifen, da doch das Wesen eines Idols in seinem Namen liegt?), macht Gott ein Zugeständnis. Er sagt Moses, sein Name sei »Ich bin der Seiende, der ewig Werdende«. (Dies ist die korrektere Übersetzung an Stelle der üblichen »Ich werde sein, der ich sein werde«. Die hebräische Form drückt das Imperfektum, nicht die Zukunft aus.) Dieses »Ich bin der Seiende und Werdende« bedeutet, daß Gott nicht endlich, also kein Mensch und auch kein »Ding« ist. Die entsprechendste Übersetzung dieses Satzes wäre: Sage ihnen, daß »mein Name Namenlos ist«. Das Verbot, irgendein Bildnis Gottes zu machen, seinen Namen unnütz und schließlich, seinen Namen überhaupt auszusprechen, hat das gleiche Ziel: den Menschen von der Vorstellung zu befreien, daß Gott ein Vater, daß er eine Person sei. In der folgerichtigen theologischen Entwicklung wird der Gedanke so weitergeführt, daß man von Gott sogar kein positives Attribut aussagen dürfe. Von Gott zu sagen, er sei weise, stark und gut, bedeutet wiederum, daß er eine Person ist; höchstens kann ich sagen, was Gott *nicht* ist, also ihm negative Attribute beifügen und feststellen, daß er nicht endlich, nicht liebend und nicht ungerecht ist. Je mehr ich weiß, was Gott *nicht* ist, desto mehr weiß ich von Gott.[16]

Wenn man die reifende Idee des Monotheismus in ihren weiteren Konsequenzen verfolgt, kommt man zu dem einzigen Schluß: Gottes Namen überhaupt nicht zu erwähnen, nicht *über* Gott zu sprechen. Dann wird Gott zu dem, was er in der monotheistischen Theologie sein soll: ein nicht auszudrückendes Gestammel, das hinweist auf die dem phänomenalen Universum zugrunde liegende Einheit, auf die Grundlage aller Existenz. Gott wird Wahrheit, Liebe und Gerechtigkeit.

Ganz offensichtlich rührt aus dieser Evolution vom anthropomorphen zum rein monotheistischen Prinzip der ganze Unterschied im Wesen der Liebe zu Gott her. Der Gott Abrahams kann geliebt oder gefürchtet werden, eben wie ein Vater; manchmal ist seine Vergebung, manchmal sein Zorn der beherrschende Aspekt. Da Gott der Vater ist, bin ich das Kind. Ich habe mich noch nicht von dem frommen Wunsch nach Allwissenheit und Allmacht gelöst. Ich habe noch nicht jene Objektivität erreicht, um meine Grenzen als menschliches Wesen, meine Unwissenheit und meine Hilflosigkeit zu erkennen. Wie ein Kind behaupte ich immer noch, daß es einen Vater geben muß, der mir hilft, der mich behütet und mich bestraft — einen Vater also, der mich liebt, wenn ich gehorche, der sich

---

16 Vgl. Maimonides' Lehre von den negativen Attributen im *Führer der Unschlüssigen.*

geschmeichelt fühlt, wenn ich ihn preise, und der zornig ist, wenn ich ungehorsam bin. Ganz offensichtlich hat die Mehrheit der Menschen in ihrer persönlichen Entwicklung dieses infantile Stadium noch nicht überwunden, und dementsprechend ist der Glaube an Gott bei den meisten Menschen der Glaube an einen helfenden Vater — eine kindliche Illusion. Trotz der Tatsache, daß dieser Begriff der Religion von einigen großen Meistern der Menschheit und von einer Minderheit der Menschen überwunden wurde, ist er immer noch die vorherrschende Form des religiösen Glaubens.

Was diese Form des Glaubens anlangt, ist die Kritik an der Religion, wie sie Freud übt, völlig richtig. Der Fehler lag jedoch in der Tatsache, daß Freud den anderen Aspekt der monotheistischen Religion und ihren wahren Kern — der zur Negation dieses Gottesbegriffes führt — übersehen hat. Der wirklich religiöse Mensch bittet, wenn er dem Wesen der monotheistischen Idee folgt, nicht um irgend etwas und erwartet nichts von Gott; er liebt Gott auch nicht so, wie ein Kind seinen Vater oder seine Mutter liebt. Er hat vielmehr jene Demut erreicht, in der er weiß, daß er nichts von Gott weiß. »Gott« wird für ihn ein Symbol, in welchem der Mensch in einem früheren Stadium seiner Evolution das Höchste ausgedrückt hat, was er erstrebt: Liebe, Wahrheit und Gerechtigkeit. Er hat Vertrauen in die Prinzipien, die »Gott« verkörpert; er denkt wahr, lebt in Liebe und Gerechtigkeit und empfindet sein Leben nur insofern als wertvoll, als es ihm die Möglichkeit gibt, zu einer vollen Entfaltung seiner menschlichen Kräfte zu gelangen — als die einzige Realität, die zählt, als das einzige Objekt »letzter Erkenntnis«.

Und schließlich spricht er nicht über Gott, erwähnt nicht einmal seinen Namen. Gott zu lieben, wenn wir das Wort hier gebrauchen wollen, würde bedeuten, nach der Erreichung der vollen Fähigkeit des Liebens zu streben, nach der Verwirklichung Gottes in uns selbst.

Von diesem Gesichtspunkt aus ist die logische Konsequenz des monotheistischen Gedankens die Negation der gesamten »Theo-logie«, des gesamten »Wissens über Gott«. Und doch bleibt ein Unterschied zwischen einer derartigen radikalen Ansicht und einem nicht-theistischen System, wie wir es zum Beispiel im frühen Buddhismus oder Taoismus finden.

Alle theistischen, auch die nicht-»theologisch«-mystischen Systeme, setzen eine spirituelle Realität voraus, die den Menschen transzendiert und den geistigen Kräften des Menschen sowie seinem Streben nach Erlösung und innerer Geburt Bedeutung und Wert verleiht. Im nicht-theistischen System gibt es keine spirituelle Realität, die außerhalb des Menschen liegt und ihn transzendiert. Die Sphäre der Liebe, der Vernunft und der Gerechtigkeit besteht als Realität nur, weil und insofern der Mensch fähig gewesen ist, diese in ihm liegenden Kräfte im Prozeß seiner Evolution zu entwickeln. In dieser Sicht hat das Leben keinen »Sinn«, außer jenem allein, den der Mensch ihm selbst gibt.

Nachdem ich von der Liebe zu Gott gesprochen habe, möchte ich klarstellen, daß ich persönlich nicht in theistischen Konzepten denke und daß der Gottesbegriff für mich nur historisch bedingt ist; in ihm hat der Mensch das Erlebnis seiner höchsten Kräfte und sein Streben nach Wahrheit und Einheit in einer bestimmten historischen Periode ausgedrückt. Ich glaube aber auch, daß die Konsequenzen des konsequenten Monotheismus und eines nicht-theistischen Erlebnisses der spirituellen Realität zwei Konzepte sind, die zwar verschieden sind, sich aber gegenseitig nicht bekämpfen müssen.

An diesem Punkt ergibt sich jedoch eine andere Dimension des Problems der Liebe zu Gott, mit der man sich beschäftigen muß, um die Kompliziertheit des Problems zu erfassen. Ich beziehe mich damit auf einen grundlegenden Unterschied zwischen Ost (China, Indien) und West, den man im Unterschied logischer Begriffe formulieren kann. Seit Aristoteles ist die westliche Welt den logischen Prinzipien der aristotelischen Philosophie gefolgt. Diese Logik basiert auf dem Satz der Identität — der aussagt, daß A gleich A ist —, auf dem Satz vom Widerspruch (A ist nicht Nicht-A) und auf dem Satz vom ausgeschlossenen Dritten (A kann nicht A *und* Nicht-A noch A *oder* Nicht-A sein). Aristoteles erklärt seine These sehr klar in folgendem Satz: »Es ist ausgeschlossen, daß ein und dasselbe Prädikat einem und demselben Subjekte zugleich und in derselben Beziehung zukomme und auch nicht zukomme... Dies also ist das grundlegendste unter allen Prinzipien.« [17]

Dieses Axiom der aristotelischen Logik hat unsere Denkgewohnheiten so tief beeinflußt, daß es als »natürlich« und selbstverständlich empfunden wird, während andererseits die Feststellung, daß X gleich A *und* nicht gleich A ist, unsinnig zu sein scheint.

Im Gegensatz zu der aristotelischen Logik steht das, was man als *paradoxe Logik* bezeichnen könnte: die Annahme, daß A und Nicht-A sich als Aussagen von X nicht gegen-

[17] Aristoteles, *Metaphyik*. Buch Gamma, 1005 b, 20.

seitig ausschließen. Die paradoxe Logik war im chinesischen und indischen Denken dominierend, aber auch in der Philosophie Heraklits, und schließlich wurde sie — unter der Bezeichnung »Dialektik« — zur Logik von Hegel und Marx. Das allgemeine Prinzip der paradoxen Logik ist sehr deutlich von Laotse beschrieben worden: »*Worte, die strenggenommen wahr sind, sind paradox.*«[18] Und Tschuangtse sagt: »Das, was eins ist, ist eins. Das, was nicht eins ist, ist auch eins.« Diese Formulierungen der paradoxen Logik sind positiv: *Es ist und es ist nicht.* Eine andere Formulierung dagegen ist negativ: *Es ist weder dies noch das.* Die erste Formulierung finden wir im Taoismus, bei Heraklit und schließlich in der Hegelschen Dialektik; die zweite ist in der indischen Philosophie häufig.

Obgleich es den Rahmen dieses Buches überschreiten würde, eine ausführliche Beschreibung des Unterschieds zwischen der aristotelischen und der paradoxen Logik zu geben, möchte ich doch einige Bemerkungen hinzufügen, um das Prinzip leichter verständlich zu machen. Im westlichen Denken findet die paradoxe Logik ihren frühesten Ausdruck in der Philosophie Heraklits. Er ist der Ansicht, daß der Konflikt zwischen Gegensätzen die Grundlage der gesamten Existenz ist. »Sie verstehen nicht«, sagt Heraklit, »wie das Unstimmige in sich übereinstimmt: *des Wider-Spännstigen Fügung* wie bei Bogen und Leier.«[19] Oder noch klarer: »In dieselben Fluten steigen wir und steigen

[18] Laotse, *Taoteking*, ed. F. Max Mueller, Oxford University Press, London 1927, S. 210.
[19] Heraklit, *Fragmente*. Ernst Heimeran Verlag, München 1926, S. 7.

wir nicht; *wir sind es, und wir sind es nicht.*«[20] Oder: »Und als ein und dasselbe ist in uns Lebendiges und Totes und das Wachende und Schlafende und Junges und Altes.«[21]

In der Philosophie des Laotse wird die gleiche Vorstellung in poetischerer Form ausgedrückt. Ein charakteristisches Beispiel für das taoistische paradoxe Denken ist die folgende Feststellung: »Das Gewichtige ist des Leichten Wurzel; die Stille ist der Unruhe Herr.«[22] Oder: »Der *Sinn* ist ewig ohne Handeln, und nichts bleibt ungewirkt.«[23] Oder: »Meine Worte sind ganz leicht zu verstehen und ganz leicht auszuführen, und doch ist niemand auf Erden instand, sie zu verstehen und auszuführen.«[24] Wie im indischen und sokratischen Denken ist auch im taoistischen Denken das Höchste, zu dem Denken führen kann, das Wissen, nichts zu wissen. »Wissen, daß man nichts weiß, ist das Höchste; Nichtwissen für Wissen achten, ist Leiden.«[25] Es ist nur eine Konsequenz dieser Philosophie, daß der höchste Gott keinen Namen haben kann. Die letzte Wirklichkeit, das letzte Eine kann weder in Worten noch in Gedanken eingefangen werden. Laotse sagt dazu: »Der *Sinn*, den man ersinnen kann, ist nicht der ewige *Sinn*. Der Name, den man nennen kann ist nicht der ewige Name.«[26] Oder mit einer anderen Formulierung: »Man schaut nach ihm und sieht ihn nicht: Sein Name ist

[20] Ebenda.
[21] Ebenda, S. 11 f.
  Hsg. von Richard Wilhelm. Jena 1921, Nr. 26, S. 28.
[22] Laotse, *Taoteking. Das Buch des Alten vom Sinn und Leben.*
[23] Ebenda, Nr. 37, S. 39.
[24] Ebenda, Nr. 70, S. 75.
[25] Ebenda, Nr. 71, S. 76.
[26] Ebenda, Nr. 1, S. 3.

›Gleich‹. Man horcht nach ihm und hört ihn nicht: Sein Name ist ›Fein‹. Man faßt nach ihm und ergreift ihn nicht: Sein Name ist ›Klein‹. Diese drei kann man nicht trennen, sie sind vermischt und bilden Eines.«[27] Und noch eine weitere Formulierung der gleichen Vorstellung: »Der Erkennende redet nicht [über das Tao]; der Redende erkennt nicht.«[28]

Die Philosophie der Brahmanen beschäftigte sich mit der Verbindung zwischen der Mannigfaltigkeit (der Phänomene) und der Einheit (Brahman). Aber weder in Indien noch in China wird die paradoxe Philosophie mit einer dualistischen Position vermischt. Die Harmonie (Einheit) besteht in der widersprüchlichen Behauptung, aus der sie entsteht. »Das Denken der Brahmanen kreiste von Anfang an um das Paradox der gleichzeitigen Antagonismen — und doch Identität der manifesten Kräfte und Formen der phänomenalen Welt...«[29] Die letzte Macht im Universum wie im Menschen überschreitet sowohl die Sphäre des Bewußtseins als auch die der Sinne. Sie ist daher »weder dies noch das«. Zimmer bemerkt dazu: »In dieser streng nicht-dualistischen Verwirklichung gibt es keinen Antagonismus zwischen ›wirklich und unwirklich‹.«[30] Auf ihrer Suche nach der hinter der Mannigfaltigkeit verborgenen Einheit kamen die brahmanischen Denker zu dem Schluß, daß das sichtbare Gegensatzpaar das Wesen nicht der Dinge, sondern das des wahrnehmen-

[27] Ebenda, Nr. 14, S. 16.
[28] Ebenda, Nr. 56, S. 61.
[29] H. R. Zimmer, *Philosophies of India*. Pantheon Books, New York 1951.
[30] Ebenda, S. 424.

den Geistes widerspiegelt. Der wahrnehmende Gedanke muß über sich hinauswachsen, wenn er die wahre Wirklichkeit erreichen will. Der Widerspruch ist eine Kategorie des menschlichen Geistes, selbst jedoch kein Element der Wirklichkeit. In der Rigveda wird das Prinzip folgendermaßen ausgedrückt: »Ich bin die beiden, die Lebenskraft und der Lebensstoff, beide auf einmal.« Die letzte Konsequenz dieser Idee, daß der Gedanke nur in Widersprüchen wahrnehmen kann, hat eine noch drastischere Folge im Denken der Veden, das behauptet, der Gedanke — mit seinen feinen Unterscheidungen — wäre »nur ein feinerer Horizont der Unwissenheit, in Wirklichkeit der feinste aller trügerischen Hinweise der Maya.«[31]

Die paradoxe Logik hat eine wesentliche Bedeutung für den Gottesbegriff. Insofern Gott die letzte Wirklichkeit verkörpert und insofern der menschliche Geist die Wirklichkeit in Widersprüchen wahrnimmt, kann man über Gott keine positive Feststellung treffen. In der Vedanta gilt die Vorstellung von einem allwissenden und allmächtigen Gott als höchste Form von Unwissenheit. Hier sehen wir die Verbindung zu der Namenlosigkeit des Tao, zu dem namenlosen Namen des Gottes, der sich Moses zu erkennen gibt, zu dem »absoluten Nichts« Meister Eckeharts. Nur die Negation kann der Mensch erkennen, nicht aber die Position der letzten Realität. »So vermag der Mensch überhaupt nicht zu wissen, was Gott ist. Etwas weiß er wohl: was Gott *nicht* ist ... Damit [die Vernunft] sich nicht zufrieden gebe mit irgendwelchen *Dingen*, sondern immer tiefere Sehnsucht fühle nach dem höchsten

[31] Ebenda.

und letzten Gute.«[32] Für Meister Eckehart ist »das Göttliche ein Verneinen des Verneinens und ein Verleugnen des Verleugnens ... Alle Kreaturen tragen eine Verneinung in sich, die eine verneint, die andere zu sein.«[33] Es ist nur eine weitere Folgerung, daß Gott für Meister Eckehart »das absolute Nichts« wird, wie die letzte Wirklichkeit für die Kabbala das »En Sof«, das Endlose ist.

Ich habe den Unterschied zwischen der aristotelischen und der paradoxen Logik hier diskutiert, um den Boden für einen bedeutenden Unterschied im Begriff der Liebe zu Gott vorzubereiten. Die Lehrer der paradoxen Logik sagen, daß der Mensch die Wirklichkeit nur in ihren Widersprüchen wahrnehmen kann, daß er jedoch die letzte Realität, das Eine, niemals *gedanklich* erfassen kann. Dies führte zu der Folgerung, daß man als letztes Ziel auch gar nicht versuchte, *gedanklich* die Antwort zu finden. Der Gedanke kann uns nur zu dem Bewußtsein hinführen, daß er uns die letzte Antwort eben nicht geben kann. Die Welt der Gedanken bleibt in diesem Paradox gefangen. Die einzige Möglichkeit, die Welt letztlich zu erfassen, liegt nicht im Gedanken, sondern in dem Erlebnis der Einheit. So führt die paradoxe Logik zu dem Schluß, daß die Liebe zu Gott weder das gedankliche Wissen von Gott noch der Gedanke von der eigenen Liebe zu Gott ist, sondern der Akt des Erlebens der Einheit mit Gott im Erlebnis der Liebe.

Dies führt dazu, die Betonung auf den richtigen Weg

[32] Meister Eckehart, *Schriften*, ed. Hermann Büttner. Jena 1934. S. 76. (Von der ewigen Geburt, Predigt 3).
[33] Meister Eckehart, ed. Quint, *a. a. O.* S. 252 f. (Predigt 22); vgl. die negative Theologie des Maimonides.

des Lebens zu legen. Das ganze Leben, jede kleine und jede wichtige Handlung ist vom Wissen um Gott bestimmt, aber nicht vom Wissen im richtigen *Denken*, sondern im richtigen *Handeln*. Ganz deutlich sieht man dies bei den orientalischen Religionen. Sowohl im Brahmanismus als auch im Buddhismus und Taoismus liegt das letzte religiöse Ziel nicht im rechten Glauben, sondern im richtigen Handeln. Die gleiche Betonung finden wir bei der jüdischen Religion. In der jüdischen Tradition findet man fast keine Kirchenspaltung, die durch den Glauben ausgelöst wurde (die große Ausnahme, der Streit zwischen Pharisäern und Sadduzäern, war in der Hauptsache die Auseinandersetzung zwischen zwei entgegengesetzten Gesellschaftsklassen). Im jüdischen Glauben lag die Betonung (besonders seit Beginn unseres Zeitalters) auf dem richtigen Weg des Lebens, der Halacha (dieses Wort hat eine ähnliche Bedeutung wie Tao).

Im modernen Denken wird der gleiche Grundsatz in den Lehren von Spinoza, Marx und Freud ausgedrückt. In Spinozas Philosophie wird die Betonung vom rechten Glauben auf die richtige Lebensführung verschoben. Marx stellt den gleichen Grundsatz auf, wenn er sagt: »Die Philosophen haben die Welt nur verschieden *interpretiert; es kommt darauf an, sie zu verändern.*« Freuds paradoxe Logik führt ihn zu dem Prozeß der psychoanalytischen Therapie, dem sich immer weiter vertiefenden Erlebnis seiner selbst.

Die paradoxe Logik legt den Nachdruck nicht auf das Denken, sondern auf das Erleben. Diese Haltung hat eine Reihe anderer Konsequenzen. In erster Linie führt sie zur *Toleranz*, wie wir sie in der indischen und chinesischen religiösen Entwicklung vorfinden. Wenn der richtige Gedanke nicht die letzte Wahrheit und nicht der Weg zur Erlösung ist, gibt es keinen Grund, andere zu bekämpfen, deren Denken zu anderen Formulierungen gekommen ist. Diese Toleranz ist sehr schön in der Geschichte von den Männern ausgedrückt, die aufgefordert werden, im Dunkeln einen Elefanten zu beschreiben. Der eine, der den Rüssel berührt, sagt: »Dieses Tier ähnelt einer Wasserpfeife.« Ein anderer, der das Ohr des Elefanten berührt, sagt: »Dieses Tier ähnelt einem Fächer.« Und der dritte, der die Beine des Elefanten abtastet, beschreibt das Tier als eine Säule.

Zweitens führt der paradoxe Standpunkt dazu, die Betonung auf die *Umformung des Menschen* zu legen und nicht sosehr auf die Entwicklung des *Dogmas* einerseits und der *Wissenschaft* andererseits. Vom indischen, chinesischen und mystischen Standpunkt aus besteht die religiöse Aufgabe des Menschen darin, nicht richtig zu denken, sondern tief zu erleben und sich mit dem Einen in dem Akt konzentrierter Meditation zu vereinen.

Das Gegenteil gilt für den Hauptstrom des westlichen Denkens. Da man glaubte, die letzte Wahrheit im richtigen Denken zu finden, lag die Hauptbetonung auf dem Denken, obgleich man auch das richtige Handeln nicht für unwesentlich hielt. In der religiösen Entwicklung führte dies zu der Aufstellung von Dogmen, von endlosen Argumenten über dogmatische Formulierungen und zu Unduldsamkeit gegenüber »Ungläubigen« oder Sektierern. Ferner führte es dazu, die Betonung auf den »Glauben an Gott« als das Hauptziel einer religiösen Haltung zu legen. Das bedeutet natürlich nicht, daß es daneben nicht den

Begriff gab, richtig zu leben. Aber trotzdem fühlte sich derjenige, der an Gott glaubte — wenn er auch nicht Gott lebte —, jenem überlegen, der Gott zwar lebte, nicht aber an ihn »glaubte«.

Die Betonung des Denkens hatte daneben noch eine andere und historisch sehr wichtige Konsequenz. Die Vorstellung, daß man die Wahrheit im Denken finden könne, führte nicht nur zum Dogma, sondern auch zur Wissenschaft. Im wissenschaftlichen Denken zählt allein der korrekte Gedanke, und zwar sowohl vom Aspekt der intellektuellen Gewissenhaftigkeit als auch vom Aspekt der Anwendung wissenschaftlichen Denkens auf die Praxis aus — mit anderen Worten: auf die Technik.

Das östliche Denken führte also zu Toleranz und zu dem Bemühen der menschlichen Selbsttransformation (aber nicht zur Technik), der westliche Standpunkt dagegen zur Intoleranz, zu Dogma und Wissenschaft, zur katholischen Kirche und zu der Entdeckung der Atomenergie.

Die Folgen dieses Unterschiedes der beiden Standpunkte gegenüber dem Problem der Liebe zu Gott wurden bereits kurz gestreift und brauchen daher nur noch einmal zusammengefaßt zu werden.

In dem vorherrschenden westlichen Religionssystem ist die Liebe zu Gott im wesentlichen dasselbe wie der Glaube an Gott, an Gottes Existenz, an Gottes Gerechtigkeit und an Gottes Liebe. Die Liebe zu Gott ist im wesentlichen ein gedankliches Erlebnis. In den östlichen Religionen und in der westlichen Mystik ist die Liebe zu Gott ein intensives Gefühlserlebnis der Einheit und der Liebe, untrennbar verbunden mit dem Ausdruck dieser Liebe in jedem Akt des Lebens. Die radikalste Formulierung dieses Zustandes stammt von Meister Eckehart: »Ganz so werde ich in [Gott] verwandelt, daß er mich als sein Sein wirkt, (und zwar) als eines, *nicht* als *gleiches;* beim lebendigen Gotte ist es wahr, daß es da keinerlei Unterschied gibt ... Manche einfältigen Menschen wähnen, sie sollten Gott (so) sehen, als stünde er dort und sie hier. Dem ist nicht so. Gott und ich, wir sind *eins.* Durch das Erkennen nehme ich Gott in mich hinein; durch die Liebe hingegen gehe ich in Gott ein.«[34]

Damit können wir zu einer wichtigen Parallele zwischen der Liebe zu den Eltern und der Liebe zu Gott zurückkehren. Das Kind ist zuerst seiner Mutter als dem »Grund alles Seins« verbunden. Es fühlt sich hilflos und braucht die allumfassende Liebe der Mutter. Dann wendet es sich dem Vater als dem neuen Mittelpunkt seiner Zuneigung zu, wobei der Vater das Leitprinzip für sein Denken und Handeln ist; in diesem Stadium ist das Motiv das Verlangen, das Lob des Vaters zu erreichen und sein Mißfallen zu vermeiden. Im Stadium der vollständigen Reife hat der Mensch sich von den Gestalten der Mutter und des Vaters als schützenden und befehlenden Mächten befreit; er hat das Vater- und das Mutterprinzip in sich selbst errichtet. Er ist sein eigener Vater und seine eigene Mutter geworden, *ist* Vater und Mutter. In der Geschichte der Menschheit sehen wir — oder können wir — dieselbe Entwicklung antizipieren: von der Liebe zu Gott als der hilflosen Bindung an die Mutter-Göttin über die gehorsame Bindung an einen väterlichen Gott zum Stadium der Reife, in dem Gott keine außerhalb des Menschen stehende Macht mehr ist, in dem der Mensch die Prinzipien von Liebe und Ge-

34 Meister Eckehart, ed. Quint, *a. a. O.,* S. 186 (Predigt 7).

rechtigkeit selbst verkörpert und in dem er mit Gott eins geworden ist und wo er von Gott nur in einem poetischen, symbolischen Sinn spricht.

Aus diesen Überlegungen folgt, daß die Liebe zu Gott von der Liebe zu den Eltern nicht getrennt werden kann. Wenn ein Mensch nicht über die inzestuöse Bindung an Mutter, Klan oder Nation hinauskommt, wenn er in der kindlichen Abhängigkeit von einem strafenden und belohnenden Vater oder von irgendeiner anderen Autorität verbleibt, kann er auch keine reifere Liebe zu Gott entwickeln; dann ist sein Glaube der einer früheren Phase der Religion, in der Gott als eine allbeschützende Mutter oder ein strafend-belohnender Vater erlebt wurde.

In der zeitgenössischen Religion finden wir noch sämtliche Phasen vor — von der frühesten und primitivsten Entwicklung bis zur höchsten. Das Wort »Gott« bedeutet sowohl Stammeshäuptling als auch das »absolute Nichts«. In der gleichen Weise hat auch jedes Individuum — und zwar, wie Freud gezeigt hat, in seinem Unbewußten — sämtliche Stadien als Möglichkeiten ebenfalls in sich. Die Frage ist nur, bis zu welchem Punkt er herangewachsen ist. Eines ist dabei gewiß: Das Wesen seiner Liebe zu Gott entspricht dem Wesen seiner Liebe zu den Menschen, und fernerhin, das Wesen seiner Liebe zu Gott und den Menschen ist ihm häufig nicht bewußt — es ist verdeckt und rationalisiert durch die mehr fortgeschrittenen *Gedanken* über das, was Liebe ist. Die Liebe zum Menschen ist überdies, während sie unmittelbar in den Bindungen an die Familie eingebettet ist, im Letzten von der Struktur der Gesellschaft bestimmt, in der ein Mensch lebt. Wenn die Gesellschaftsstruktur die der Unterwerfung unter eine

Autorität — unter eine offene oder unter die anonyme Autorität des Marktes und der öffentlichen Meinung — ist, muß die Liebe zu Gott und zum Menschen infantil und weit entfernt von dem reifen Konzept sein, dessen Samen man in der Geschichte der monotheistischen Religionen finden kann.

III.

DIE LIEBE UND IHR VERFALL
IN DER ZEITGENÖSSISCHEN WESTLICHEN
GESELLSCHAFT

Wenn die Liebe eine Fähigkeit des reifen und schöpferischen Charakters ist, folgt daraus, daß die Fähigkeit des Liebens in jedem Menschen, der in einer bestimmten Gesellschaft lebt, von dem Einfluß abhängig ist, den diese Gesellschaft auf den Charakter des Betreffenden ausübt. Wenn wir von der Liebe in der zeitgenössischen westlichen Gesellschaft sprechen, wollen wir damit die Frage stellen, ob die gesellschaftliche Struktur der westlichen Zivilisation und der aus ihr resultierende Geist der Entwicklung der Liebe förderlich sind. Diese Frage zu stellen bedeutet, sie im negativen Sinne zu beantworten. Kein objektiver Beobachter unseres westlichen Lebens kann daran zweifeln, daß die Liebe — die Nächstenliebe, die Mutterliebe und die erotische Liebe — ein verhältnismäßig seltenes Phänomen ist und daß verschiedene Formen von Pseudo-Liebe an ihre Stelle getreten sind, die in Wirklichkeit nur genauso viele Formen des Verfalls dieser Liebe sind.

Die kapitalistische Gesellschaft beruht auf dem Prinzip der politischen Freiheit einerseits und des Marktes als Regulator aller wirtschaftlichen und damit gesellschaftlichen Beziehungen andererseits. Der Gütermarkt bestimmt die Bedingungen, unter denen der Güteraustausch stattfindet; der Arbeitsmarkt reguliert den An- und Verkauf von Arbeitskraft. Sowohl nützliche Dinge wie nützliche menschliche Energie und Geschicklichkeit sind zu Werten geworden, die ohne Zwang und ohne Betrug entsprechend den Marktbedingungen ausgetauscht werden. Schuhe zum Beispiel — mögen sie auch noch so nützlich und notwendig sein — haben keinen wirtschaftlichen Wert (Tauschwert), wenn sie auf dem Markt nicht gefragt sind; menschliche Kraft und Geschicklichkeit sind ohne jeden Tauschwert, wenn sie gemäß den derzeitigen Marktbedingungen nicht gefragt sind. Der Kapitalbesitzer kann Arbeitskraft kaufen und ihr befehlen, für die gewinnbringende Investierung seines Kapitals zu arbeiten. Der Besitzer von Arbeitskraft muß seine Arbeitskraft entsprechend den jeweiligen Marktbedingungen verkaufen, wenn er nicht verhungern will. Diese wirtschaftliche Struktur spiegelt sich in einer Ordnung der Werte wider. Kapital beherrscht die Arbeitskraft; leblose Dinge haben einen höheren Wert als Arbeitskraft, menschliches Können und alles, was lebendig ist. Haben ist mehr als Sein.

Diese Struktur war von Anfang an die Grundlage des Kapitalismus. Obgleich sie noch heute für den modernen Kapitalismus charakteristisch ist, haben sich doch verschiedene Faktoren inzwischen geändert, die dem zeitgenössischen Kapitalismus seine besonderen Eigenschaften geben und einen tiefgehenden Einfluß auf die charakterliche Struktur des modernen Menschen ausüben. Als Ergebnis der Entwicklung des Kapitalismus sehen wir einen zunehmenden Prozeß der Zentralisation und Konzentration des Kapitals. Die großen Unternehmen dehnen sich fortlaufend weiter aus, während die kleineren erdrückt werden. Das Eigentum am Kapital, das in den großen Unternehmen investiert ist, wird immer mehr von der Verwaltung dieses Kapitals getrennt. Hunderttausende von Aktienbesitzern sind »Eigentümer« des Unternehmens; eine Verwaltungsbürokratie, die zwar gutbezahlt ist, der das Unternehmen jedoch nicht gehört, verwaltet es. Diese Bürokratie ist nicht nur daran interessiert, große Gewinne zu erzielen, sondern ebensosehr daran, das Unternehmen und damit ihre Macht ständig auszuweiten. Die zunehmende Konzentration des Kapitals und das Entstehen einer mächtigen Verwaltungsbürokratie finden ihre Parallele in der Entwicklung der Arbeiterbewegung. Durch die gewerkschaftliche Zusammenfassung der Arbeitskraft braucht der einzelne Arbeiter auf dem Arbeitsmarkt nicht allein und für sich selbst zu kämpfen; er ist in großen Gewerkschaften vereinigt, die ebenfalls von einer machtvollen Bürokratie geleitet werden und die ihn gegenüber den industriellen Kolossen vertritt. Sowohl auf dem Gebiet des Kapitals als auch auf dem der Arbeitskraft ist die Initiative vom Individuum auf die Bürokratie übergegangen. Eine wachsende Zahl von Menschen hat aufgehört, unabhängig zu sein, und ist von der Bürokratie der großen wirtschaftlichen Imperien abhängig geworden.

Ein weiterer entscheidender Zug, der von dieser Konzentration des Kapitals herrührt und für den modernen Kapitalismus bezeichnend ist, liegt in der besonderen Art der Arbeitsorganisation. Weitgehend zentralisierte Unternehmen mit radikaler Arbeitstrennung führen zu einer Organisation der Arbeit, bei der das Individuum seine

Individualität verliert, in der es zu einem auswechselbaren Rad in der Maschine wird. Das menschliche Problem des modernen Kapitalismus kann man folgendermaßen formulieren:

Der moderne Kapitalismus braucht Menschen, die reibungslos und in großer Zahl zusammenarbeiten, die mehr und mehr konsumieren wollen, deren Geschmack jedoch standardisiert, leicht zu beeinflussen und vorauszusagen ist. Der moderne Kapitalismus braucht Menschen, die sich frei und unabhängig fühlen und glauben, keiner Autorität, keinem Prinzip und keinem Gewissen unterworfen zu sein — die aber dennoch bereit sind, Befehle auszuführen, das zu tun, was man von ihnen erwartet, sich reibungslos in die gesellschaftliche Maschine einfügen, sich ohne Gewalt leiten lassen, sich ohne Führer führen und ohne Ziel dirigieren lassen — mit der einen Ausnahme: nie untätig zu sein, zu funktionieren und weiterzustreben.

Was ist das Ergebnis? Der moderne Mensch ist sich selbst wie auch seinen Mitmenschen und der Natur entfremdet.[1] Er ist zu einer Ware geworden, erlebt seine Lebenskraft als eine Kapitalsanlage, die ihm unter den gegebenen Marktbedingungen ein Maximum an Gewinn einbringen muß. Die menschlichen Beziehungen sind im wesentlichen die entfremdeter Automaten, deren Sicherheit darauf beruht, möglichst dicht bei der Herde zu bleiben und sich im Denken, Fühlen oder Handeln nicht von ihr zu unterscheiden. Während jeder versucht, den ande-

---

[1] Vgl. eine ausführlichere Diskussion des Problems der Entfremdung und des Einflusses der modernen Gesellschaft auf den Charakter des Menschen in *Der heutige Mensch und seine Zukunft* von E. Fromm, Frankfurt am Main 1960.

ren so nahe wie möglich zu sein, bleibt jeder doch völlig allein, durchdrungen von dem tiefen Gefühl von Unsicherheit, Angst und Schuld, das immer auftritt, wenn die menschliche Getrenntheit nicht überwunden wird. Unsere Zivilisation bietet jedoch verschiedene Möglichkeiten, damit die Menschen dieser Einsamkeit bewußt nicht gewahr werden: in erster Linie die strenge Routine der bürokratisierten, mechanischen Arbeit, die dazu verhilft, daß die Menschen ihr grundlegendstes menschliches Verlangen, die Sehnsucht nach Transzendenz und Einheit, nicht bewußt erleben. Da die Routine dazu allein nicht ausreicht, mildert der Mensch seine unbewußte Verzweiflung durch die Routine des Vergnügens, durch den passiven Konsum von Tönen und Bildern, die ihm die Vergnügungsindustrie anbietet, ferner aber auch durch die Befriedigung, immer neue Dinge zu kaufen und diese bald darauf durch andere auszuwechseln. Der moderne Mensch ähnelt tatsächlich jenem Bild, das Huxley in seinem Buch *Schöne neue Welt* beschreibt: gutgenährt, gutgekleidet, sexuell befriedigt, aber ohne Selbst, nur im oberflächlichsten Kontakt mit seinen Mitmenschen, geleitet allein von Slogans, die Huxley knapp folgendermaßen formuliert: »Verschiebe ein Vergnügen nie auf morgen, wenn du es heute haben kannst.« Oder die alles krönende Feststellung: »Jeder ist heutzutage glücklich!« Das Glück des Menschen besteht heute darin, sich zu vergnügen. Vergnügen liegt in der Befriedigung des Konsumierens und »Einverleibens«: von Waren, Bildern, Essen, Trinken, Zigaretten, Menschen, Zeitschriften, Büchern und Filmen. Alles wird konsumiert, wird geschluckt. Die Welt ist nur für unseren Hunger da, ein riesiger Apfel, eine riesige

Flasche, eine riesige Brust; wir sind Säuglinge, die ewig Erwartungsvollen, die ewig Hoffnungsvollen — und die ewig Enttäuschten. Unser Charakter ist darauf eingerichtet, auszutauschen, zu empfangen und zu verbrauchen. Alles — geistige wie auch materielle Dinge — wird zum Objekt des Tausches und Verbrauches.

Hinsichtlich der Liebe entspricht die Situation notwendigerweise diesem gesellschaftlichen Charakter des modernen Menschen. Automaten können nicht lieben; sie können nur ihr »Persönlichkeitspaket« austauschen und dann hoffen, ein gutes Geschäft dabei gemacht zu haben. Ein wesentlicher Ausdruck der Liebe, und besonders der Ehe in dieser entfremdeten Struktur, ist die Idee des »Teams«. In unzähligen Artikeln über die glückliche Ehe wird das Ideal als ein reibungslos funktionierendes Team beschrieben. Diese Beschreibung unterscheidet sich gar nicht so sehr von der Vorstellung, die man von einem reibungslos funktionierenden Angestellten hat; er soll »angemessen unabhängig«, ein guter Mitarbeiter, tolerant, gleichzeitig aber auch ehrgeizig und anspruchsvoll sein. Genauso soll der Ehemann — wie der Eheberater uns mitteilt — seine Frau »verstehen« und ihr eine Hilfe sein. Er soll sich günstig über ihr neues Kleid äußern, aber auch über das Essen. Sie dagegen soll ihn verstehen, wenn er müde und mürrisch nach Hause kommt, soll ihm aufmerksam zuhören, wenn er von seinen beruflichen Sorgen spricht, und soll nicht ärgerlich, sondern verständnisvoll sein, wenn er ihren Geburtstag vergißt. Das alles aber ist nichts anderes als das gut geölte Verhältnis zwischen zwei Menschen, die sich ihr Leben lang fremd bleiben, die nie ein »zentrales Verhältnis« erreichen, sondern sich gegenseitig mit Höflichkeit behandeln und alles tun, damit der andere sich wohl fühlt. In diesem Begriff von Liebe und Ehe liegt die Betonung darauf, Schutz vor einem sonst unerträglichen Gefühl von Einsamkeit zu finden. In der »Liebe« hat man endlich einen Hafen gefunden. Man schließt ein zweiseitiges Bündnis gegen die Welt, und dieser Egoismus zu zweit wird dann für Liebe und Vertrautheit gehalten.

Die Betonung des Teamgeistes, der gegenseitigen Toleranz und so weiter ist eine verhältnismäßig neue Entwicklung. In den Jahren nach dem ersten Weltkrieg ging ihr jenes Konzept von der Liebe voraus, nach dem die gegenseitige sexuelle Befriedigung die Grundlage für befriedigende Liebesbeziehungen und besonders für eine glückliche Ehe sein sollte. Man glaubte, den Grund für die vielen unglücklichen Ehen darin gefunden zu haben, daß die Ehepartner sich sexuell nicht richtig »anpassen« konnten; den Grund für diesen Fehler sah man in der Unwissenheit hinsichtlich des »richtigen« sexuellen Verhaltens, also in der fehlerhaften sexuellen Technik des einen Partners oder beider Partner. Um diesen Fehler zu »beseitigen« und jenen unglücklichen Paaren zu helfen, die sich nicht lieben konnten, gaben viele Bücher Instruktionen und Ratschläge über das richtige sexuelle Verhalten und versprachen mehr oder weniger deutlich, daß nun Glück und Liebe von selbst folgen würden. Die zugrunde liegende Idee bestand darin, daß die Liebe als Kind des sexuellen Vergnügens galt und daß man glaubte, zwei Menschen, die gelernt hätten, sich gegenseitig sexuell zu befriedigen, würden sich dann auch lieben. Es paßte genau in die allgemeine Illusion, die richtige Technik für die Lösung nicht nur der Probleme der industriellen Produktion, sondern auch der menschlichen Probleme zu halten. Man ignorierte die Tatsache, daß gerade das Gegenteil dieser zugrunde liegenden Annahme wahr ist.

Liebe ist nicht das Ergebnis der sexuellen Befriedigung, sondern sexuelles Glück — und sogar die Kenntnis der sogenannten sexuellen Technik — ist das Resultat der Liebe. Wenn diese These, abgesehen von alltäglichen Beobachtungen, noch bewiesen werden müßte, könnte man diesen Beweis in dem umfassenden Material psychoanalytischer Angaben finden. Das Studium der häufigsten sexuellen Probleme — Frigidität bei Frauen, mehr oder weniger ernste Formen psychischer Impotenz bei Männern — zeigt, daß der Grund nicht in der mangelnden Kenntnis der richtigen Technik, sondern in den Hemmungen liegt, die es unmöglich machen zu lieben. Angst vor dem anderen Geschlecht, Haß auf das andere Geschlecht sind der Boden dieser Schwierigkeiten, die einen Menschen daran hindern, sich selbst völlig hinzugeben, spontan zu handeln und dem Geschlechtspartner in der Direktheit und Unmittelbarkeit physischer Nähe zu vertrauen. Wenn ein sexuell gehemmter Mensch sich von seiner Angst oder von seinem Haß frei machen kann und damit fähig wird zu lieben, sind seine sexuellen Probleme gelöst; wenn nicht, kann ihm auch eine umfassende Kenntnis der sexuellen Technik nicht helfen.

Während die Erfahrungen der psychoanalytischen Therapie jedoch auf den Trugschluß der Vorstellung verweisen, die Kenntnis der richtigen sexuellen Technik führe zu sexuellem Glück und Liebe, wurde die zugrunde liegende Annahme, die Liebe sei eine Begleiterscheinung der gegenseitigen sexuellen Befriedigung, weitgehend von den

Überlegungen Freuds beeinflußt. Für Freud war die Liebe im Grunde ein sexuelles Phänomen. »Die Erfahrung, daß die geschlechtliche (genitale) Liebe dem Menschen die stärksten Befriedigungserlebnisse gewähre, ihm eigentlich das Vorbild für alles Glück gebe, müßte es nahegelegt haben, die Glücksbefriedigung im Leben auch weiterhin auf dem Gebiet der geschlechtlichen Beziehungen zu suchen, die genitale Erotik in den Mittelpunkt des Lebens zu stellen.«[2] Das Erlebnis der Nächstenliebe ist für Freud eine Folge des Sexualverlangens, bei dem der Sexualinstinkt jedoch in eine »zielgehemmte Regung« umgewandelt ist. »Die zielgehemmte Liebe war eben ursprünglich vollsinnliche Liebe und ist es im Unbewußten des Menschen noch immer.«[3] Im Hinblick auf das Gefühl der Einheit (»ozeanisches Gefühl«), das das Wesen des mystischen Erlebnisses und die Wurzel des intensiven Gefühls der Vereinigung mit einer anderen Person oder dem Mitmenschen ist, wurde sie von Freud als pathologisches Phänomen, als »Wiederherstellung des uneingeschränkten Narzißmus«[4] interpretiert.

Es ist nur ein Schritt in die gleiche Richtung, daß die Liebe für Freud in sich selbst ein irrationales Phänomen ist. Der Unterschied zwischen irrationaler Liebe und Liebe als Ausdruck der reifen Persönlichkeit existiert für ihn nicht. In seinen »Bemerkungen über die Übertragungsliebe«[5] wies er darauf hin, daß die Übertragungsliebe im

---

[2] S. Freud, *Abriß der Psychoanalyse und Das Unbehagen in der Kultur*, Frankfurt/M. 1955, S. 136.
[3] Ebenda, S. 138.
[4] Ebenda, S. 101.
[5] Freud, *Gesammelte Werke*, Band X, S. 306-321, London 1946.

wesentlichen sich nicht von der »normalen« Liebe unterscheide. Verlieben grenzt immer ans Abnorme, ist immer von Blindheit gegenüber der Wirklichkeit begleitet und ist eine Übertragung von den Liebesobjekten der Kindheit. Die Liebe als rationales Phänomen, als Krönung der Reife, war für Freud kein Forschungsobjekt, da sie keine wirkliche Existenz hatte.

Es wäre jedoch ein Fehler, den Einfluß der Freudschen Ideen auf die Vorstellungen von der Liebe als Ergebnis sexueller Anziehung zu überschätzen. Im wesentlichen läuft die Kausalreihe genau entgegengesetzt. Freuds Ideen waren zu einem Teil vom Geist des 19. Jahrhunderts beeinflußt, zum Teil wurden sie durch den vorherrschenden Geist der Jahre nach dem ersten Weltkrieg populär. Einer der Faktoren, die sowohl die populären als auch die Freudschen Konzepte beeinflussen, war in erster Linie die Reaktion auf die strenge Sittenmoral des ausgehenden 19. Jahrhunderts.

Der zweite Faktor, der Freuds Theorien bestimmte, lag in dem vorherrschenden anthropologischen Konzept vom Menschen, das wiederum auf der Struktur des Kapitalismus beruht. Um zu beweisen, daß der Kapitalismus den natürlichen Bedürfnissen des Menschen entspreche, mußte man nachweisen, der der Mensch seinem ganzen Wesen nach ein Konkurrent und der eine der Feind des anderen sei. Während die Ökonomen diese Behauptung mit dem unstillbaren Verlangen nach wirtschaftlichem Gewinn und die Darwinisten sie mit dem biologischen Gesetz vom Überleben des Tüchtigsten »bewiesen«, kam Freud zu dem gleichen Resultat durch die Annahme, daß der Mann von einem unbegrenzten Verlangen nach Eroberung aller Frauen getrieben werde und daß nur der Druck der Gesellschaft ihn davon abhalte, seinem Verlangen entsprechend zu handeln. Folglich wären alle Männer aufeinander eifersüchtig, und die gegenseitige Eifersucht, die Konkurrenz würde selbst dann noch andauern, wenn alle gesellschaftlichen und wirtschaftlichen Gründe dafür verschwänden.[6]

Schließlich wurde Freud in seinem Denken auch von jener Art des Materialismus beeinflußt, die im 19. Jahrhundert vorherrschte. Man glaubte, daß die Basis für alle geistigen Phänomene in den physiologischen Phänomenen gefunden werden könne; so wurden Liebe, Haß, Ehrgeiz und Eifersucht von Freud als Folgen ebenso vieler Formen des Sexualinstinktes erklärt. Er sah nicht, daß die grundlegende Wirklichkeit in den Bedingungen der menschlichen Existenz liegt, zunächst in der menschlichen Situation, die allen Menschen gemeinsam ist, und dann in der Lebenspraxis, die von der besonderen Struktur der Gesellschaft bestimmt wird. (Der entscheidende Schritt über diese Art von Materialismus hinaus wurde von Marx in seinem »historischen Materialismus« getan, in dem weder der Körper noch ein Instinkt, wie das Verlangen nach Nahrung oder Besitz, als Schlüssel zum Verständnis des Menschen dienen, sondern der gesamte Lebensprozeß des Menschen, seine »Lebenspraxis«.) Nach Freud würde also die vollständige und ungehemmte Befriedigung aller in-

[6] Der einzige Schüler, der sich nie von Freud trennte, der aber trotzdem seine Ansichten über die Liebe in den letzten Lebensjahren änderte, war Sándor Ferenczi. Eine ausgezeichnete Diskussion dieses Themas findet sich in: Izette de Forest, *The Leaven of Love*, Harper & Brothers, New York 1954.

stinktiven Wünsche geistige Gesundheit und Glück schaffen. Die offensichtlichen klinischen Tatsachen zeigen jedoch, daß Männer — und Frauen —, die ihr Leben lang das sexuelle Verlangen ungehemmt befriedigten, keineswegs dadurch glücklich werden, sondern sehr oft an ernsten neurotischen Konflikten und Symptomen leiden. Die vollständige Befriedigung aller instinktiven Wünsche ist nicht nur keine Basis für das Glück, sondern garantiert nicht einmal minimale seelische Gesundheit. Und trotzdem konnte Freuds Idee in der Periode nach dem ersten Weltkrieg so populär werden, weil sich gewisse Veränderungen im Geist des Kapitalismus vollzogen hatten: Der Nachdruck wurde vom Sparen auf das Konsumieren verlagert, von der Selbstbescheidung als Mittel wirtschaftlichen Erfolges zum Verbrauch als Grundlage eines sich erweiternden Marktes und als Hauptbefriedigung für das ängstliche, automatisierte Einzelwesen. Die Befriedigung irgendeines Verlangens nicht aufschieben, wurde zum Prinzip nicht nur in der Sphäre des materiellen Verbrauchs, sondern auch in der sexuellen Sphäre.

Liebe als gegenseitige sexuelle Befriedigung sowie Liebe als »Teamwork« und als Schutzhafen vor der Einsamkeit sind die beiden »normalen« Formen des Verfalls der Liebe in der modernen westlichen Gesellschaft: die gesellschaftlich bedingte und geformte Pathologie der Liebe. Es gibt verschiedene individualisierte Formen dieser Pathologie, die im bewußten Leiden enden und die von Psychiatern wie auch von einer ständig wachsenden Zahl von Laien für neurotisch gehalten werden. Einige der häufig auftretenden Formen werden mit den folgenden Beispielen kurz beschrieben.

Die Grundbedingung für die neurotische Liebe liegt in der Tatsache, daß einer oder beide der »Liebenden« weiterhin an die Gestalt des Vaters oder der Mutter fixiert ist und seine Gefühle, Erwartungen und Ängste, die sich früher auf den Vater oder die Mutter bezogen, im erwachsenen Leben auf die »geliebte« Person übertragen werden. Die beteiligten Personen sind nie über das Stadium infantiler Bindungen hinausgekommen und suchen sie nun auch als Erwachsene. In diesen Fällen ist der Mensch in seinem affektiven Leben ein Kind von zwei, fünf oder zwölf Jahren geblieben, während er intellektuell und sozial seinem wirklichen Alter entspricht. In ernsteren Fällen führt diese Unreife der Gefühle zu Störungen in der gesellschaftlichen Wirksamkeit; in weniger ernsten Fällen dagegen ist der Konflikt auf die Sphäre der intimen persönlichen Beziehungen beschränkt.

Auf unsere vorhergegangene Diskussion der Vater- oder Mutter-zentrierten Personen zurückkommend, handelt es sich bei dem folgenden Beispiel neurotischer Liebesbeziehungen, die man heute häufig antrifft, um Männer, deren Entwicklung der Gefühle in ihrer infantilen Bindung an die *Mutter* steckengeblieben ist. Es sind Männer, die — sozusagen — niemals entwöhnt worden sind. Diese Männer fühlen sich immer noch als Kinder; sie brauchen den mütterlichen Schutz, die mütterliche Liebe, Wärme, Fürsorge und Bewunderung. Sie brauchen die bedingungslose Liebe der Mutter — eine Liebe, die aus keinem anderen Grunde als dem gegeben wird, daß sie sie brauchen, daß sie Kinder ihrer Mutter sind, daß sie hilflos sind. Solche Menschen sind oft sehr herzlich und charmant, wenn sie versuchen, eine Frau dazu zu bringen, sie zu lieben; und auch wenn es ihnen geglückt ist, bleiben sie es noch. Ihre Beziehung zur Frau (wie in Wirklichkeit zu allen Menschen) bleibt jedoch flüchtig und ohne Verantwortung. Ihr Ziel ist es, geliebt zu *werden*, aber nicht, selbst zu lieben. Bei diesem Typ findet man häufig auch eine erhebliche Portion Eitelkeit, mehr oder weniger versteckte grandiose Ideen. Wenn sie die »richtige« Frau gefunden haben, fühlen sie sich sicher und aller Welt überlegen; dann können sie auch anderen gegenüber sehr herzlich und ausgesprochen charmant sein. Wenn die Frau jedoch nach einiger Zeit nicht mehr ihren phantastischen Erwartungen entspricht. beginnt die Entwicklung von Konflikten und Reibereien. Wenn die Frau sie nicht dauernd bewundert, wenn sie beansprucht, ein eigenes Leben zu führen, wenn sie selbst geliebt und beschützt werden möchte und wenn sie — in extremen Fällen — nicht bereit ist, ihm seine Liebesaffären mit anderen Frauen zu verzeihen (oder sogar ein bewunderndes Interesse dafür zu zeigen), dann fühlt der Mann sich zutiefst verletzt und enttäuscht, und gewöhnlich vereinfacht er dieses Gefühl durch die Vorstellung. daß die Frau »ihn nicht liebt, selbstsüchtig oder tyrannisch ist«. Irgendeine fehlende Kleinigkeit an der Haltung einer liebenden Mutter zu ihrem bezaubernden Kind wird als Beweis der fehlenden Liebe genommen. Diese Männer verwechseln gewöhnlich ihr charmantes Verhalten und ihren Wunsch, Freude zu bereiten, mit wahrer Liebe und kommen dann zu dem Schluß, daß sie ungerecht behandelt werden. Sie bilden sich ein, großartige Liebhaber zu sein, und beklagen sich bitterlich über die Unzufriedenheit ihrer Partner.

In seltenen Fällen kann ein Mann, dessen Mutter immer noch im Mittelpunkt steht, ohne ernste Störungen funktionieren. Wenn seine Mutter ihn tatsächlich in einer übersteigerten Weise »liebte« (vielleicht war sie auch tyrannisch, ohne destruktiv zu sein), wenn er eine Frau des gleichen mütterlichen Typs findet, wenn seine besonderen Begabungen und Talente ihm erlauben, seinen Charme zu entfalten und sich bewundern zu lassen (wie es manchmal bei erfolgreichen Politikern der Fall ist), dann hat er sich in gesellschaftlichem Sinne »gut eingeordnet«, ohne doch jemals eine größere seelische Reife zu erreichen. Aber unter weniger günstigen Bedingungen — und sie sind natürlich häufiger — wird sein Liebesleben, wenn nicht auch sein gesellschaftliches Leben, zu einer ernstlichen Enttäuschung; Konflikte und oft auch heftige Angst sowie Depressionen entstehen, wenn dieser Persönlichkeitstyp sich alleingelassen fühlt.

In einer noch ernsteren Form der Pathologie ist die Bindung an die Mutter tiefer und irrationaler. Auf dieser Ebene geht es nicht, symbolisch ausgedrückt, um die Rückkehr in die schützenden Arme der Mutter oder zu ihrer nährenden Brust, sondern um die Rückkehr in ihren alles empfangenden — und zerstörenden — Schoß. Wenn es das Wesen der seelischen Gesundheit ist, aus dem Mutterleib in die Welt hineinzuwachsen, ist es das Wesen der schweren seelischen Erkrankung, vom Mutterschoß angezogen zu werden, wieder in ihn zurückgezogen zu werden — und das heißt, aus dem Leben genommen zu werden. Diese Art Bindung mag gewöhnlich in der Beziehung zu Müttern auftreten, die sich in dieser aufsaugend-zerstörenden Weise an ihre Kinder anschließen. Manchmal im Namen der Liebe, manchmal in dem der Pflicht wollen sie das Kind, den Heranwachsenden, den Mann in sich behalten. Atmen können soll er allein durch sie; lieben darf er nicht, abgesehen von ganz oberflächlichen sexuellen Erlebnissen, durch die alle anderen Frauen erniedrigt werden. Er darf nicht frei und nicht unabhängig sein, sondern nur ein ewiger Krüppel oder ein Verbrecher.

Dieser zerstörerische, verschlingende Mutteraspekt ist der negative Aspekt der Muttergestalt. Die Mutter kann nicht nur Leben geben, sondern auch Leben nehmen. Sie ist diejenige, die belebt und ebenso diejenige, die zerstört. Sie kann Wunder der Liebe tun — und niemand kann tiefer verletzen als sie. In religiösen Symbolen (wie dem der Hindugöttin Kali) und im Traumsymbolismus kann man diese beiden entgegengesetzten Mutteraspekte häufig finden.

Eine ganz andere Form der neurotischen Pathologie findet man in jenen Fällen, in denen die Bindung an den Vater vorherrscht.

Ein entsprechender Fall ist der eines Mannes, dessen Mutter kalt und zurückhaltend ist, während der Vater (teilweise als Ergebnis der Kälte seiner Frau) seine ganze Zuneigung und sein ganzes Interesse auf den Sohn konzentrierte. Er ist ein »guter Vater«, zugleich aber auch ein gebieterischer. Sobald er sich über das Verhalten seines Sohnes freut, lobt er ihn, beschenkt er ihn und ist er herzlich; sobald der Sohn ihm mißfällt, zieht er sich zurück oder schimpft er. Der Sohn, für den die Zuneigung des Vaters das einzige ist, was er hat, wird in sklavischer Weise an den Vater gebunden. Das Hauptziel seines Lebens ist es, den Vater zu erfreuen — und wenn ihm dies gelingt, fühlt er sich glücklich, sicher und befriedigt. Wenn er jedoch einen Fehler begeht, etwas Falsches tut, wenn es ihm nicht gelingt, dem Vater zu gefallen, fühlt er sich leer, ungeliebt und verstoßen. Im späteren Leben wird dieser Mann versuchen, eine Vatergestalt zu finden, an die er sich in ähnlicher Weise bindet. Sein ganzes Leben wird zu einem ständigen Auf und Ab, bedingt dadurch, ob es ihm gelingt, das väterliche Lob zu verdienen oder nicht. Gesellschaftlich sind diese Menschen häufig sehr erfolgreich; sie sind gewissenhaft, vertrauenswürdig und eifrig — vorausgesetzt, ihr erwähltes Vaterbild versteht sie richtig zu behandeln. In ihrem Verhältnis zu Frauen bleiben sie jedoch zurückhaltend und distanziert. Frauen haben für sie keine zentrale Bedeutung; gewöhnlich empfinden sie für weibliche Geschöpfe eine leise Verachtung, die sie oft hinter einem väterlichen Interesse, wie man es für ein kleines Mädchen empfindet, verbergen. Anfangs können sie auf Frauen durch ihre maskulinen Eigenschaften einen gewissen Eindruck machen; die Enttäuschung wächst jedoch, wenn die Frau, die sie geheiratet haben, entdeckt, daß sie — nach der Vatergestalt, die im Leben ihres Mannes immer eine hervorragende Rolle spielt — erst in zweiter Linie kommt. Eine Ausnahme tritt nur dann ein, wenn die Frau zufällig selbst vatergebunden bleibt — und deshalb mit einem Mann glücklich ist, der zu ihr das gleiche Verhältnis wie zu einem kapriziösen Kind hat.

Komplizierter ist jene Art von Störungen in der Liebe, die auf einer ganz anderen Art des Verhältnisses zu den Eltern beruht und die auftreten, wenn die Eltern sich nicht lieben, jedoch zu beherrscht sind, um sich zu streiten oder ihre Unzufriedenheit äußerlich zu zeigen. Gleichzeitig sind sie auch in ihrem Verhältnis zu den eigenen Kindern gehemmt. Ein Mädchen erlebt dann eine Atmosphäre der »Korrektheit«, niemals jedoch einen engen Kontakt mit der Mutter oder dem Vater, und so bleiben lediglich Verwirrung und Ängstlichkeit zurück. Das Mädchen weiß nie genau, was die Eltern fühlen oder denken; in der Atmosphäre liegt immer ein Element des Unbekannten, des Leeren. Die Folge ist, daß das Mädchen sich in seine eigene Welt zurückzieht, in seine Tagträume und in seine eigene Abgeschlossenheit, und die gleiche Haltung behält es auch in seinen späteren Liebesbeziehungen.

Die Zurückgezogenheit resultiert ferner in der Entwicklung von Angst und dem Gefühl, nicht fest in dieser Welt gegründet zu sein; schließlich führt sie häufig zu masochistischen Neigungen als der einzigen Möglichkeit, einen intensiven Reiz zu erleben. Solchen Frauen wäre es oft lieber, der Ehemann machte ihnen eine Szene und brüllte sie an, statt sich normal und vernünftig zu betragen, weil ihnen damit wenigstens die Last der Spannung und Angst genommen würde. Nicht allzu selten provozieren sie unbewußt ein derartiges Verhalten, um die quälende Ungewißheit der affektiven Leere zu beenden.

Andere häufig auftretende Formen irrationaler Liebe sind in den folgenden Abschnitten behandelt, ohne eine Analyse der besonderen Faktoren kindlicher Entwicklung, die ihre Ursache sind, zu geben.

Eine Form der Pseudo-Liebe, die nicht selten ist und oft als »die große Liebe« erlebt wird (noch öfter jedoch in Filmen und Romanen beschrieben wird), ist die *abgöt-*

tische Liebe. Wenn ein Mensch jene Ebene nicht erreicht hat, auf der er ein Gefühl für Identität, ein Selbstgefühl hat, das in der schöpferischen Entfaltung seiner eigenen Kräfte wurzelt, neigt er dazu, die geliebte Person zu »vergöttern«. Er ist seinen eigenen Kräften entfremdet und projiziert sie auf die geliebte Person, die als das *summum bonum,* als die Quelle aller Liebe, allen Lichtes und allen Segens verehrt wird. In diesem Vorgang beraubt der Mensch sich des Bewußtseins seiner Kraft und verliert sich an den Geliebten, statt sich selbst zu finden. Da kein Mensch, auf die Dauer gesehen, den Erwartungen des abgöttischen Verehrers entsprechen kann, treten natürlich Enttäuschungen auf, und als Lösung sucht man nach einem neuen Idol — manchmal in einem vernichtenden Kreislauf. Charakteristisch für diese Art abgöttischer Liebe ist zu Anfang die Intensität und Plötzlichkeit des Liebeserlebnisses. Diese abgöttische Liebe wird häufig als die wahre und große Liebe bezeichnet; aber während man die Intensität und die Tiefe der Liebe zu beschreiben meint, verrät sie doch nur den Hunger und die Einsamkeit des abgöttisch Liebenden. Es braucht wohl nicht besonders betont zu werden, daß sich nicht selten zwei Menschen in gegenseitiger abgöttischer Liebe zusammenfinden, die in extremen Fällen manchmal das Bild einer *folie à deux* bietet.

Eine weitere Form der Pseudo-Liebe ist das, was man *sentimentale Liebe* nennen kann. Ihr Wesen liegt in der Tatsache, daß die Liebe nur in der Phantasie und nicht in der hier und jetzt stattfindenden Verbindung mit einem anderen Menschen, der wirklich ist, existiert. Die am weitesten verbreitete Form dieser Art Liebe findet man in der Ersatzbefriedigung, die der Konsument von Liebesfilmen, Liebesromanen und Liebesliedern erlebt. Alle unerfüllten Sehnsüchte nach Liebe, Vereinigung und Nähe finden ihre Befriedigung in dem Konsum dieser Erzeugnisse. Ein Mann oder eine Frau, die gegenüber ihren Ehepartnern unfähig sind, jemals die Mauer der Getrenntheit einzureißen, sind zu Tränen gerührt, wenn sie an der glücklichen oder unglücklichen Liebesgeschichte eines Paares auf der Leinwand teilnehmen. Für viele Paare ist die Filmleinwand die einzige Gelegenheit, um die Liebe zu erleben — nicht nur jeder für sich, sondern gemeinsam als Zuschauer der »Liebe« anderer Menschen. Solange die Liebe ein Tagtraum ist, können sie an ihr teilhaben; sobald sie jedoch in die Wirklichkeit einer Beziehung zwischen zwei wirklichen Menschen eintritt — sind sie erstarrt.

Ein anderer Aspekt der sentimentalen Liebe ist die zeitliche Verschiebung in die Vergangenheit. Ein Ehepaar kann durch die Erinnerung an ihre vergangene Liebe zutiefst bewegt werden, obgleich zu der Zeit, zu der die Vergangenheit noch Gegenwart war, gar keine Liebe erlebt wurde; genauso ist es mit den Phantasien über die zukünftige Liebe. Wie viele verlobte oder frisch verheiratete Paare träumen von dem Glück ihrer zukünftigen Liebe, während sie in der Zeit, in der sie gerade leben, bereits anfangen, sich gegenseitig zu langweilen. Diese Tendenz stimmt mit jener allgemeinen Haltung überein, die für den modernen Menschen charakteristisch ist. Er lebt in der Vergangenheit oder in der Zukunft, nicht aber in der Gegenwart. Voller Sentimentalität erinnert er sich seiner Kindheit und seiner Mutter — oder schmiedet große Pläne für die

Zukunft. Ob die Liebe durch Teilnahme an den unechten. Erlebnissen anderer Menschen erlebt wird oder ob sie von der Gegenwart in die Vergangenheit oder Zukunft verschoben wird — diese abstrahierte und entfremdete Form der Liebe dient als Opium, das die Schmerzen der Wirklichkeit, der Einsamkeit und der Getrenntheit des Individuums lindert.

Noch eine andere Form von neurotischer Liebe liegt im Mechanismus der *Projektion,* der zur Vermeidung eigener Probleme und statt dessen zur Konzentration auf die Fehler und Schwächen der »geliebten« Person führt. Einzelwesen betragen sich in dieser Hinsicht fast genauso wie Nationen oder Religionen. Sie haben ein feines Empfinden selbst für kleinere Fehler des anderen, während sie die eigenen Fehler und Schwächen ignorieren — immer damit beschäftigt, den anderen zu beschuldigen oder umzuerziehen. Wenn — wie es oft der Fall ist — zwei Personen sich dieser Beschäftigung hingeben, wird die Liebesbeziehung zu einer gegenseitigen Projektion. Bin ich tyrannisch oder unentschlossen, beschuldige ich meinen Partner dieser Eigenschaften, und entsprechend meinem Charakter möchte ich ihn entweder davon heilen oder ihn dafür bestrafen. Der andere tut das gleiche — und so gelingt es beiden, die eigenen Probleme zu ignorieren und aus diesem Grunde zu versäumen, irgendwelche Schritte zu unternehmen, die ihrer eigenen Entwicklung weiterhelfen würden.

Eine andere Form der Projektion ist die Projizierung der eigenen Probleme auf die Kinder. Gar nicht selten tritt sie zuerst als Wunsch nach eigenen Kindern auf. In derartigen Fällen wird der Wunsch nach eigenen Kindern in erster Linie davon bestimmt, das eigene Existenzproblem auf das der Kinder zu projizieren. Wenn eine Person spürt, daß sie nicht fähig ist, ihrem eigenen Leben einen Sinn zu geben, versucht sie, diesen Sinn im Leben der Kinder zu finden. Dies muß jedoch sowohl bei einem selbst als auch bei den Kindern fehlschlagen: ersteres deswegen, weil das Existenzproblem von jedem nur für sich selbst gelöst werden kann, nicht aber durch einen Stellvertreter, letzteres, weil gerade jene Eigenschaften fehlen, die nötig sind, um die Kinder bei ihrer eigenen Suche nach einer Antwort auf die Frage ihrer eigenen Existenz zu leiten. Kinder werden auch häufig dann im Sinne des Projektionsmechanismus benutzt, wenn die Frage auftaucht, eine unglückliche Ehe zu lösen. Das Argument, das die Eltern immer bei der Hand haben, lautet, daß sie sich nicht scheiden lassen können, um die Kinder nicht des Segens eines gemeinsamen Heimes zu berauben. Eine gründliche Untersuchung wird jedoch oft zeigen, daß die spannungsgeladene und unglückliche Atmosphäre, die in diesen »gemeinsamen Heimen« herrscht, den Kindern schädlicher ist als offener Bruch — der ihnen zumindest zeigt, daß der Mensch in der Lage ist, eine unerträgliche Situation durch einen mutigen Entschluß zu beenden.

In diesem Zusammenhang muß noch ein anderer häufiger Irrtum erwähnt werden: die Illusion nämlich, daß Liebe notwendigerweise das Fehlen jeglicher Konflikte bedeutet. Entsprechend dem üblichen Glauben, daß Schmerz und Traurigkeit unter allen Umständen vermieden werden müßten, nimmt der moderne Mensch auch an, daß Liebe das Fehlen jeglicher Konflikte bedeutet. Und dafür findet er auch eine gute Begründung in der Tatsache, daß die Streitigkeiten, die er um sich herum erlebt, nur zerstörende Auseinandersetzungen sind, die für keinen der Beteiligten irgendwelchen Nutzen haben. Der Grund dafür liegt jedoch in der Tatsache, daß die »Konflikte« der meisten Menschen in Wirklichkeit Versuche sind, die *wirklichen* Konflikte zu vermeiden. Es sind lediglich Differenzen über kleine und nebensächliche Angelegenheiten, die schon ihrem ganzen Wesen nach gar nicht geklärt oder gelöst werden können. Wirkliche Konflikte zwischen Menschen — jene also, die nichts verdecken oder projizieren wollen, die jedoch auf der tiefen Ebene innerer Wirklichkeit, zu der sie gehören, erlebt werden —, diese wirklichen Konflikte sind keineswegs zerstörerisch. Sie führen zur Klärung und bringen eine Reinigung mit sich, aus der beide Personen wissender und gestärkter hervorgehen. Damit kommen wir dazu, etwas Gesagtes noch einmal zu betonen.

Liebe ist nur möglich, wenn zwei Menschen sich aus der Mitte ihrer Existenz heraus miteinander verbinden, wenn also jeder sich selbst aus dem Zentrum heraus erlebt. Nur dieses »zentrale Erlebnis« ist menschliche Wirklichkeit; nur hier ist Leben, nur hier liegt die Basis für Liebe. Eine so erlebte Liebe ist eine ständige Herausforderung; sie ist kein Ruheplatz, sondern gemeinsames Streben, Wachsen und Arbeiten. Selbst Harmonie oder Konflikt, Freude oder Traurigkeit sind zweitrangig gegenüber der grundlegenden Tatsache, daß zwei Menschen sich aus dem Wesen ihrer Existenz heraus erleben, daß sie nur dadurch miteinander eins werden, daß sie mit sich selbst eins sind. Für die Existenz der Liebe gibt es nur einen Beweis: die Tiefe der Bindung sowie die Lebendigkeit und

Kraft in jedem der Liebenden. Das allein ist die Frucht, an der man die Liebe erkennen kann.

Ebenso wie Automaten sich gegenseitig nicht lieben können, können sie auch Gott nicht lieben. Der *Verfall der Liebe zu Gott* hat die gleichen Ausmaße erreicht wie der Verfall der Liebe zu den Menschen. Diese Tatsache steht in krassem Widerspruch zu der Vorstellung, wir wären Zeugen einer religiösen Renaissance, die in unserer Zeit stattfände. Nichts könnte von der Wahrheit weiter entfernt sein. Was wir miterleben (auch wenn es Ausnahmen gibt), ist der Rückfall in ein götzenhaftes Konzept von Gott und eine Umwandlung der Liebe zu Gott in ein Verhältnis, das der entfremdeten Charakterstruktur entspricht. Der Rückfall in ein götzenhaftes Konzept von Gott ist leicht zu erkennen. Die Menschen sind ängstlich, ohne Grundsätze und ohne Vertrauen, und sie haben kein Ziel mehr vor sich — abgesehen von dem einen, weiterzukommen; daher bleiben sie Kinder und hoffen, daß der Vater oder die Mutter ihnen schon helfen wird, wenn sie einmal Hilfe brauchen.

Es stimmt, daß auch der Durchschnittsmensch in älteren Kulturen zu Gott als dem helfenden Vater oder der helfenden Mutter aufsah. Gleichzeitig nahm er Gott jedoch ernst in dem Sinne, daß es das Ziel seines Lebens war, Gottes Grundsätzen entsprechend zu leben. Heute ist von diesen Bemühungen nichts mehr vorhanden. Das tägliche Leben wird streng von allen religiösen Werten getrennt. Es ist allein dem Streben nach materieller Bequemlichkeit und dem Erfolg auf dem Persönlichkeitsmarkt gewidmet. Die Prinzipien, auf denen unsere weltlichen Bestrebungen aufgebaut sind, sind Gleichgültigkeit und Egoismus (letzterer oft unter der Bezeichnung »Individualismus« oder »individuelle Initiative«). Der Mensch echt religiöser Kulturen könnte vielleicht mit einem Kind von acht Jahren verglichen werden, das einen Vater als Retter braucht, das jedoch angefangen hat, die Lehren und Prinzipien des Vaters in sein Leben zu übernehmen. Der zeitgenössische Mensch ähnelt jedoch einem Kind von drei Jahren, das nach dem Vater ruft, wenn es ihn braucht, und sonst zufrieden ist, wenn es spielen kann.

In dieser Hinsicht, nämlich in der infantilen Abhängigkeit von einem anthropomorphen Bild Gottes, ohne Umformung des Lebens im Sinne der Prinzipien Gottes, sind wir einem primitiven, Götzen anbetenden Stamm ähnlicher als der religiösen Kultur des Mittelalters. In anderer Hinsicht zeigt unsere religiöse Situation Züge, die neu und nur für die zeitgenössische kapitalistische Gesellschaft des Westens charakteristisch sind. Ich kann mich dabei auf Feststellungen beziehen, die ich an früherer Stelle dieses Buches gemacht habe. Der moderne Mensch hat sich selbst in eine Ware verwandelt; er erlebt seine Lebenskraft als eine Investition, mit der er — entsprechend seiner Stellung und seiner Position auf dem Persönlichkeitsmarkt — einen möglichst hohen Gewinn erzielen will. Er hat sich seiner selbst, seinen Mitmenschen und der Natur entfremdet. Sein Hauptziel ist der gewinnbringende Austausch seiner Geschicklichkeit, seines Wissens und seiner Persönlichkeit mit anderen, die ebenfalls auf einen anständigen und gewinnbringenden Austausch aus sind. Das Leben hat nur noch das Ziel, weiterzukommen, nur noch den Grundsatz, ein gutes Geschäft zu machen, nur die Befriedigung des Konsumierens.

Was kann der Gottesbegriff unter diesen Umständen noch bedeuten? Seine ursprüngliche, religiöse Bedeutung ist verwandelt, so daß er in die entfremdete Kultur des Erfolgs paßt. In der religiösen »Erneuerung« der Gegenwart ist der Glaube an Gott zu einem psychologischen Mittel geworden, um für den Konkurrenzkampf besser gerüstet zu sein.

Der Glaube verbindet sich mit Autosuggestion und Psychotherapie, um den Menschen in seinem Geschäftsleben zu helfen. In den zwanziger Jahren hat man Gott noch nicht angerufen, um die eigene »Persönlichkeit auszubilden«. Eines der populärsten Bücher des Jahres 1938, Dale Carnegies *Wie man Freunde gewinnt und Menschen beeinflußt,* blieb auf einer streng weltlichen Ebene. Aber die damalige Funktion von Carnegies Buch hat heute eines der meist verbreitetsten Bücher, *Die Macht des positiven Denkens* von Pfarrer N. V. Peale übernommen. In diesem religiösen Buche wird nicht einmal gefragt, ob unser vorherrschendes Erfolgsstreben mit dem Geist des monotheistischen Glaubens übereinstimme — im Gegenteil: dieses höchste Ziel wird niemals angezweifelt, sondern der Glaube an Gott und das Gebet werden als Mittel empfohlen, um die eigenen Fähigkeiten, erfolgreich zu sein, noch zu verbessern. Gleich einem modernen Psychiater, der dem Angestellten empfiehlt, glücklich zu sein, damit er anziehender auf die Kundschaft wirke, empfehlen einige Geistliche die Liebe zu Gott, um erfolgreicher zu sein. »Mache Gott zu deinem Partner« bedeutet, Gott zum Geschäftspartner zu machen, nicht aber mit Ihm in Liebe, Gerechtigkeit und Wahrhaftigkeit eins zu werden. Ganz wie die Nächstenliebe, die durch unpersönliche Fairneß ersetzt wurde, ist Gott zu einem in unerreichbarer Ferne thronenden Generaldirektor der Universum G.m.b.H. geworden; man weiß, daß er existiert und daß er den Betrieb leitet (obgleich dieser wahrscheinlich auch allein funktionieren würde), man sieht ihn auch nie — aber man erkennt seine Leitung an und »tut seine Pflicht«.

IV.

DIE PRAXIS DES LIEBENS

Nachdem wir uns bisher mit dem theoretischen Aspekt der Kunst des Liebens befaßt haben, stehen wir jetzt einem erheblich schwierigeren Problem gegenüber, nämlich dem der *Praxis der Kunst des Liebens*. Kann man über die Ausübung einer Kunst überhaupt etwas lernen — abgesehen allein davon, daß man sie ausübt?

Die Schwierigkeit dieses Problems wird noch durch die Tatsache gesteigert, daß heutzutage die meisten Menschen — und daher auch viele Leser dieses Buches — erwarten, daß man ihnen Rezepte gibt, wie sie es »selbst machen« können, und das bedeutet in diesem Fall, ihnen »Unterricht im Lieben« zu geben. Ich fürchte, daß diejenigen, die dieses letzte Kapitel in diesem Sinne aufschlagen, bitter enttäuscht werden. Die Liebe ist ein persönliches Erlebnis, das jeder nur durch und für sich selbst haben kann; in Wirklichkeit wird es kaum einen Menschen geben, der dieses Erlebnis nicht zumindest in einer elementaren Form bereits gehabt hat, sei es als Kind, als Heranwachsender oder als Erwachsener. Aufgabe einer Diskussion über die Praxis der Liebe kann es nur sein, die Voraussetzungen der Kunst des Liebens zu diskutieren, gleichsam also ihre ersten Schritte. Der endgültige Schritt auf das Ziel hin kann von jedem nur selbst getan werden, und die Diskussion hört da auf, wo der endgültige Schritt beginnt. Trotzdem glaube ich, daß die Diskussion der ersten Schritte zur Beherrschung einer Kunst sehr hilfreich sein kann — zumindest für alle, die nicht erwarten, bestimmte »Anweisungen« zu bekommen.

Die Ausübung jeder Kunst erfordert gewisse allgemeine Dinge, ungeachtet der Tatsache, ob wir uns mit der Kunst des Tischlerhandwerks, der Medizin oder der Kunst des Liebens beschäftigen. In erster Linie erfordert die Ausübung einer Kunst *Disziplin*. Ich werde nie etwas erreichen, wenn ich dabei nicht diszipliniert bin; wenn ich etwas nur dann tue, sobald ich »in Stimmung« bin, kann es zu einem netten oder amüsanten Steckenpferd werden — aber niemals werde ich es darin zur Meisterschaft bringen. Das Problem ist jedoch nicht nur das der Disziplin in der Ausübung einer besonderen Kunst (daß man sie zum Beispiel Tag für Tag einige Stunden lang ausübt), sondern es ist das Problem der Disziplin im gesamten Leben. Man mag denken, daß es für den modernen Menschen nichts Leichteres gibt, als Disziplin zu lernen; verbringt er nicht täglich acht Stunden auf disziplinierte Weise bei seiner Arbeit? Tatsache ist jedoch, daß der heutige Mensch außerordentlich wenig Selbstdisziplin außerhalb seiner Arbeit zeigt. Wenn er nicht arbeitet, will er träge sein und nichts tun — will er, um ein netteres Wort zu gebrauchen, »sich entspannen«. Aber gerade dieser Wunsch nach Nichtstun ist eine Reaktion auf die Routine des Lebens. Gerade weil der Mensch gezwungen ist, seine Kraft täglich acht Stunden lang für Zwecke auszugeben, die nicht seine eigenen sind, auf eine Art, die nicht die seine ist, die ihm aber durch den Rhythmus der Arbeit vorgeschrieben wird, rebelliert er, und diese Rebellion hat die Form des Sichgehenlassens. Außerdem ist er in seinem Kampf gegen die Autorität gegenüber jeder Disziplin mißtrauisch geworden, sei sie ihm nun durch eine irrationale Autorität aufgezwungen worden oder als rationale Disziplin selbstauferlegt. Ohne Disziplin bleibt das Leben jedoch zersplittert, chaotisch und ohne jede Konzentration.

Daß *Konzentration* eine notwendige Bedingung für die Beherrschung einer Kunst ist, bedarf kaum eines Beweises. Jeder, der einmal versucht hat, eine Kunst zu erlernen, weiß es. Aber noch seltener als Selbstdisziplin ist in unserer Gesellschaft die Konzentration; unsere Kultur führt vielmehr zu einer unkonzentrierten und zersplitterten Lebensart, für die es kaum eine Parallele gibt. Man tut viele Dinge auf einmal; man liest, hört Radio, unterhält sich, raucht, ißt und trinkt. Man ist ein Konsument, der mit offenem Munde dasitzt und gierig und bereitwillig alles schluckt: Bilder, Schnaps und Wissen. Dieser Mangel an Konzentration zeigt sich ganz deutlich in unserer Schwierigkeit, mit uns selbst allein zu sein. Ruhig zu sitzen, ohne zu sprechen, zu rauchen, zu lesen oder zu trinken, ist für die meisten Menschen unmöglich. Sie werden nervös und unruhig; sie müssen irgend etwas tun, entweder mit dem Mund oder mit den Händen. (Das Rauchen ist ein Symptom für diesen Mangel an Konzentration; es beschäftigt Hand, Mund, Auge und Nase.)

Der dritte Faktor ist *Geduld*. Auch hier weiß jeder, der eine Kunst zu erlernen versuchte, daß Geduld nötig ist, wenn man etwas erreichen will. Wenn man möglichst schnell ein Resultat erzielen will, lernt man niemals eine Kunst. Trotzdem ist Geduld für den modernen Menschen genauso schwer zu praktizieren wie Disziplin und Konzentration. Unser ganzes industrielles System fördert genau das Gegenteil: Schnelligkeit. Alle unsere Maschinen sind auf Schnelligkeit hin gebaut: Auto und Flugzeug bringen uns schnell an den Bestimmungsort — und je schneller, desto besser. Die Maschine, die die gleiche Menge in der halben Zeit produzieren kann, ist doppelt so gut wie die ältere und langsamere. Natürlich gibt es dafür gewichtige wirtschaftliche Gründe; aber wie in so vielen anderen Hinsichten ist es auch hier dazu gekommen, daß die *menschlichen* Werte von den *wirtschaftlichen* bestimmt werden. Was für die Maschinen gut ist, muß auch für den Menschen gut sein — das scheint logisch. Der moderne Mensch glaubt, irgend etwas — nämlich Zeit — zu verlieren, wenn er die Dinge nicht schnell erledigt; und doch weiß er nicht, was er mit der dadurch gewonnenen Zeit anfangen soll — außer daß er sie totschlägt.

Schließlich ist die Bedingung zur Erlernung einer Kunst das *unbedingte Interesse* an der Beherrschung dieser Kunst. Wenn eine Kunst nicht von höchster Bedeutung ist, wird der Lehrling sie niemals erlernen. Bestenfalls wird er ein guter Dilettant bleiben, aber ein Meister wird er nicht. Diese Bedingung ist für die Kunst des Liebens genauso wichtig wie für jede andere Kunst. Es scheint jedoch, als hätte sich das Verhältnis zwischen Meistern und Dilettanten in der Kunst des Liebens noch mehr zugunsten der Dilettanten verschoben als in den anderen Künsten.

Im Hinblick auf die allgemeinen Bedingungen für die Erlernung einer Kunst muß noch ein weiterer Punkt erwähnt werden. Man fängt niemals an, eine Kunst unmittelbar zu erlernen, sondern beginnt sozusagen immer indirekt. Zuerst muß man viele andere und oft mit der

Kunst scheinbar nicht zusammenhängende Dinge lernen, bevor man mit der eigentlichen Kunst anfängt. Der Tischlerlehrling beginnt damit, hobeln zu lernen; der Lehrling in der Kunst des Klavierspieles beginnt mit dem Üben von Tonleitern, und der Lehrling in der Zen-Kunst des Bogenschießens beginnt mit Atemübungen.[1] Wenn man es in irgendeiner Kunst zur Meisterschaft bringen will, muß man ihr sein ganzes Leben widmen. Die eigene Person wird zum Instrument in der Ausübung dieser Kunst und muß in einem Zustand gehalten werden, der der von ihm zu erfüllenden Aufgabe entspricht. Hinsichtlich der Kunst des Liebens bedeutet dies, daß jeder, der es in dieser Kunst zur Meisterschaft bringen will, damit anfangen muß, in jeder Phase seines Lebens Disziplin, Konzentration und Geduld zu *üben*.

Wie aber übt man Disziplin? Morgens regelmäßig zur gleichen Zeit aufstehen, täglich eine bestimmte Zeit bestimmten Tätigkeiten, wie Meditieren, Lesen, Musikhören und Spazierengehen, zu widmen, sich nicht oder zumindest nur in einem bestimmten Ausmaß ablenkenden Dingen, wie Kriminalromanen und Filmen, hinzugeben und weder zuviel zu essen noch zu trinken — das sind offensichtliche und elementare Regeln. Es ist jedoch wesentlich, daß die Disziplin nicht als etwas geübt wird, das einem von außen auferlegt worden ist, sondern daß sie zum Ausdruck des eigenen Willens wird, daß man sie als angenehm empfindet und daß man sich langsam an ein Verhalten gewöhnt, das

---

[1] Eine schöne Schilderung von Konzentration, Disziplin, Geduld und Interesse, die für die Erlernung einer Kunst nötig sind, findet sich in *Zen in der Kunst des Bogenschießens* von E. Herrigel, Konstanz 1948.

einem fehlt, wenn man es wieder aufgibt. Es gehört zu den bedauerlichen Aspekten unseres westlichen Konzeptes der Disziplin (wie übrigens jeder anderen Tugend), daß man glaubt, sie müsse schmerzhaft oder unangenehm sein und daß sie nur dann etwas »taugt«, wenn es so ist. Der Osten hat schon seit langem erkannt, daß das, was für den Menschen — für seinen Körper wie für seine Seele — gut ist, auch angenehm sein muß, selbst wenn zu Anfang ein gewisser Widerstand überwunden werden muß.

Sich zu konzentrieren ist schwierig in unserer Kultur, in der alles auf »Zerstreuung« und gegen die Fähigkeit, sich zu konzentrieren, zu wirken scheint. Der wichtigste Schritt ist, zu lernen, mit sich selbst allein zu sein, ohne dabei zu lesen, Radio zu hören, zu rauchen oder zu trinken. Die Fähigkeit, sich zu konzentrieren, zeigt sich in der Fähigkeit, mit sich allein sein zu können — und diese Fähigkeit ist eine Bedingung für die Fähigkeit zu lieben. Wenn ich mit einem anderen Menschen verbunden bin, weil ich nicht auf meinen eigenen Füßen stehen kann, ist dieser andere vielleicht ein Lebensretter; die Beziehung hat jedoch mit Liebe nichts zu tun. Paradoxerweise ist die Fähigkeit, allein sein zu können, eine Bedingung für die Fähigkeit zu lieben. Jeder, der versucht, allein zu sein, wird feststellen, wie schwer es ist. Er wird mit der Zeit unruhig und nervös werden oder sogar einige Angst verspüren. Seine Abneigung, diese Übung weiterzuführen, wird er wahrscheinlich damit rationalisieren, daß das Alleinsein keinen Sinn habe, daß es nur albern sei, daß es zuviel Zeit in Anspruch nehme und so weiter und so fort. Er wird auch feststellen, daß alle möglichen Gedanken auftauchen und von ihm Besitz ergreifen. Er wird auf einmal merken, daß er Pläne für den restlichen Teil des Tages macht, daß er über irgendwelche beruflichen Schwierigkeiten nachdenkt oder daß er überlegt, wohin er abends gehen kann. Sehr viel helfen würden dabei jedoch ein paar einfache Übungen, wie zum Beispiel, sich entspannt hinzusetzen (aber weder in lümmeliger noch in steifer Haltung), die Augen zu schließen und zu versuchen, eine weiße Fläche vor den Augen zu haben und alle störenden Bilder und Gedanken auszuschalten; dann mag er versuchen, den eigenen Atem zu beobachten — nicht darüber nachzudenken und ihn nicht zu beeinflussen, sondern sich einfach seines Atems bewußt zu werden. Ferner sollte man versuchen, ein Gefühl für das eigene »Ich« zu bekommen: Ich = mein Selbst, das Zentrum meiner Kräfte, der Schöpfer meiner Welt. Zumindest sollte man derartige Konzentrationsübungen allmorgendlich zwanzig Minuten lang (wenn möglich, auch noch länger) und jeden Abend vor dem Schlafengehen machen.

Neben diesen Übungen muß man lernen, bei allem, was man tut, konzentriert zu sein: beim Anhören von Musik, beim Lesen eines Buches, bei der Unterhaltung mit einem anderen oder beim Betrachten eines Bildes. Wenn man konzentriert ist, spielt es fast keine Rolle, *was* man tut; die wichtigsten wie auch die unwichtigen Dinge bekommen eine neue Dimension der Wirklichkeit, weil man ganz geöffnet ist. Um zu lernen, sich zu konzentrieren, muß man jede banale Unterhaltung weitmöglichst vermeiden, das heißt jede Unterhaltung, die eigentlich gar keine ist. Wenn zwei Menschen sich über das Wachstum eines beiden bekannten Baumes oder über den Geschmack des gerade eben gegessenen Brotes oder über ihre gemeinsamen beruflichen Erlebnisse unterhalten, kann diese Konversation wichtig sein unter der Voraussetzung, daß sie über eine von beiden erlebte Realität sprechen und nicht über Abstraktionen Worte wechseln. Andererseits kann eine Unterhaltung über politische oder religiöse Dinge völlig belanglos sein, wenn die beiden Partner in Klischees miteinander sprechen, wenn sie nicht an dem wirklich beteiligt sind, was sie sagen und nur Meinungen austauschen. Ich sollte an dieser Stelle noch hinzufügen, daß es nicht nur wichtig ist, trivialer Unterhaltung aus dem Wege zu gehen, sondern auch jeder schlechten Gesellschaft. Damit meine ich nicht nur Menschen, die bösartig und destruktiv sind; ihre Gesellschaft sollte man schon deswegen meiden, weil ihre Nähe vergiftend und deprimierend wirkt. Ich meine auch die Gesellschaft von Menschen, die innerlich unlebendig sind, von Menschen, deren Gedanken und Gespräche belanglos sind, die nur schwatzen, statt zu reden, und die nicht nachdenken, sondern nur klischierte Meinungen von sich geben. Es ist jedoch nicht immer möglich und manchmal auch nicht notwendig, die Gesellschaft solcher Menschen zu meiden. Wenn man nicht in der erwarteten Weise — also mit Klischees und Belanglosigkeiten —, sondern unmittelbar und menschlich reagiert, wird man häufig finden, daß solche Menschen ihr Verhalten plötzlich ändern, und zwar dank jenes Überraschungsmomentes, das der Schock des Unerwarteten bei ihnen auslöst, und ihrer eigenen Sehnsucht, aus dem Bereich der Fiktion und Banalität zur Realität vorzustoßen.

Konzentration in der Beziehung zu anderen bedeutet in erster Linie die Fähigkeit des Zuhörens. Die meisten Menschen meinen, sie hören anderen zu und geben sogar

Ratschläge, ohne wirklich zugehört zu haben. Sie nehmen die Worte des anderen nicht ernst; sie nehmen jedoch auch ihre eigenen Antworten nicht ernst. Die Folge ist, daß das Gespräch sie ermüdet. Sie leben in der Illusion, noch viel ermüdeter zu sein, wenn sie mit Konzentration zuhörten. Das Gegenteil ist jedoch wahr. Jede Tätigkeit, die mit Konzentration ausgeübt wird, macht den Menschen wacher (obgleich hinterher eine natürliche und heilsame Müdigkeit eintritt), während jede unkonzentrierte Tätigkeit den Menschen schläfrig macht — und es für ihn abends zugleich schwierig ist, einzuschlafen.

Konzentration bedeutet, völlig in der Gegenwart, im Hier und Jetzt zu leben und nicht an das nächste zu denken, was noch getan werden muß, während ich gerade jetzt etwas tue. Es versteht sich von selbst, daß Konzentration vor allem von jenen Menschen geübt werden muß, die sich lieben. Sie müssen lernen, sich nahe und einander geöffnet zu sein, und nicht voneinander fortzulaufen, wie es üblich ist. Aller Anfang ist auch beim Lernen der Konzentration schwer; es hat den Anschein, als würde man das Ziel nie erreichen. Daß dazu auch die Notwendigkeit gehört, Geduld zu haben, braucht wohl kaum betont zu werden. Wenn man nicht weiß, daß jedes Ding seine Zeit braucht, und man es erzwingen will, wird man nie dahin kommen, sich konzentrieren zu können. Wenn man eine Vorstellung davon haben will, was Geduld ist, braucht man nur einem Kind zuzusehen, das laufen lernt. Es fällt hin, einmal, zweimal, dreimal, und trotzdem versucht es es immer wieder, kommt immer ein Stückchen weiter, bis es eines Tages läuft, ohne hinzufallen. Was könnte ein Erwachsener erreichen, wenn er bei der Verfolgung der für ihn wichtigen Dinge die Geduld und Konzentration eines Kindes hätte!

Konzentration erfordert noch etwas anderes: die Fähigkeit, sich selbst gegenüber *wach* zu sein. Was bedeutet dies? Soll man die ganze Zeit über sich selbst nachdenken, sich »analysieren« — oder was sonst? Wenn wir von der wachen Aufmerksamkeit eines Menschen gegenüber einer Maschine sprächen, wäre es ziemlich einfach zu erklären, was damit gemeint ist. Jeder zum Beispiel, der einen Wagen hat, ist ihm gegenüber wach und aufmerksam. Selbst ein leises ungewohntes Geräusch oder eine leichte Veränderung in der Leistung des Motors wird bemerkt. In der gleichen Weise empfindet der Fahrer eine Veränderung der Straßenoberfläche und die Geschwindigkeit und Richtungsänderungen der vor und hinter ihm fahrenden Wagen. Trotzdem denkt er über diese Faktoren nicht nach; er befindet sich in einem Zustand offener Wachheit und ist allen Veränderungen in jener Situation zugänglich, auf die er sich konzentriert — jener des sicheren Fahrens seines Wagens.

Betrachten wir die Situation der wachen Aufmerksamkeit gegenüber einem anderen menschlichen Wesen, finden wir das klarste Beispiel in der Haltung einer Mutter gegenüber ihrem Baby. Sie merkt gewisse körperliche Veränderungen, Wünsche und Nöte, bevor sie geäußert werden. Sie wacht auf, wenn das Kind schreit oder weint, während andere und erheblich lautere Geräusche sie nicht aufwecken. Es bedeutet, daß sie gegenüber den Lebensäußerungen ihres Kindes wach ist; sie ist weder ängstlich noch besorgt, sondern befindet sich in einem Zustand wachen Gleichgewichts, das für jede wichtige Mitteilung, die von ihrem Kind kommt, empfänglich ist. In der gleichen Weise kann man auch sich selbst gegenüber wach sein. Man spürt zum Beispiel ein Gefühl von Müdigkeit oder Depression, und statt ihm nun nachzugeben und es durch depressive Gedanken noch zu fördern, die immer greifbar sind, fragt man sich: Was ist passiert? Warum bin ich deprimiert? Das gleiche tut man, wenn man irritiert oder verärgert ist, wenn man anfängt, sich in Tagträumen zu ergehen. In allen diesen Fällen ist es wichtig, der inneren Realität gewahr zu werden und sie nicht auf tausendundeine Weise zu rationalisieren; dann wird man oft eine innere Stimme hören, die einem sagt, *warum* man ängstlich, deprimiert oder irritiert ist.

Der Durchschnittsmensch hat eine gewisse Wachheit gegenüber Vorgängen in seinem Körper; er merkt jede Veränderung und sogar kaum spürbare Schmerzen. Diese Art körperlicher Aufmerksamkeit ist verhältnismäßig leicht zu erleben, da die meisten Menschen ein genaues Bild jenes Zustandes haben, in dem sie sich wohl fühlen. Sehr viel schwieriger ist es jedoch, die gleiche Wachheit seelischen Vorgängen gegenüber zu haben, weil viele noch nie einen Menschen gekannt haben, der ganz und wach funktioniert. Für sie gilt das seelische Funktionieren ihrer Eltern und Verwandten oder der gesellschaftlichen Gruppe, in die sie hineingeboren sind, als Norm, und solange sie sich von dieser Norm nicht unterscheiden, fühlen sie sich »normal« und haben sie kein Interesse, ein davon abweichendes Verhalten zu beobachten. Es gibt viele Menschen, die zum Beispiel noch nie einen liebenden Menschen oder einen Menschen mit Integrität, Mut oder Konzentration gesehen haben. Um sich selbst gegenüber wach zu sein, muß man eine Vorstellung vom gesunden, lebendigen, menschlichen Funktionieren haben — aber wie kommt man zu einem derartigen Erlebnis, wenn man es weder in seiner Kindheit noch später gehabt hat? Auf diese Frage gibt es sicherlich keine einfache Antwort; aber die Frage deutet genau auf den kritischen Punkt unseres Erziehungssystems hin.

Über dem Vermitteln von Wissen vergessen wir jenes Lehren, das für die menschliche Entwicklung am wichtigsten ist: jenes Lehren, das nur durch die einfache Gegenwart eines reifen und liebenden Menschen gegeben werden kann. In manchen Epochen unserer eigenen Kultur oder in China und Indien galt der Mensch am meisten, der hervorragende seelische und moralische Qualitäten hatte. Der Lehrer war nicht nur oder nicht in erster Linie eine bloße Informationsquelle, sondern seine Aufgabe bestand darin, bestimmte menschliche Haltungen zu übermitteln. In der zeitgenössischen kapitalistischen Gesellschaft — und das gleiche gilt auch für den russischen Kommunismus — sind die Menschen, die als bewunderungswürdig und als Vorbild gelten, alles andere als Träger bedeutender seelischer Qualitäten. Filmstars, Radiounterhalter, bestimmte Journalisten und wichtige Gestalten aus Wirtschaft und Regierung — das sind die Vorbilder. Ihre hauptsächliche Qualifikation liegt häufig darin, daß es ihnen gelungen ist, bekannt oder berühmt zu werden. Aber trotz alledem scheint die Situation nicht ganz hoffnungslos zu sein. Wenn man daran denkt, daß ein Mensch wie Albert Schweitzer in den Vereinigten Staaten wie auch anderswo berühmt werden konnte, wenn man sich die vielen Möglichkeiten vor Augen hält, unsere Jugend mit jenen lebenden und historischen Persönlichkeiten vertraut zu machen, die zeigen, welcher Vervollkommnung der Mensch fähig ist, wenn man an die großen Werke der Literatur und aller Kunst denkt, dann scheint doch noch die Möglichkeit zu bestehen, eine Vision für lebendiges, waches Funktionieren zu übermitteln. Sollte es uns aber nicht gelingen, die Vision eines reifen Lebens lebendig zu halten, dann stehen wir allerdings der Wahrscheinlichkeit gegenüber, daß unsere gesamte kulturelle Tradition eines Tages zusammenbrechen wird. Diese Tradition beruht nicht in erster Linie auf der Übermittlung gewisser Ideen und Kenntnisse, sondern auf der von menschlichen Haltungen. Wenn die kommenden Generationen diese menschliche Realität nicht mehr erleben können, wird eine fünftausendjährige Kultur zusammenbrechen, auch wenn ihr Wissen weiterhin übermittelt und weiterentwickelt wird.

Bisher haben wir das behandelt, was für die Ausübung *aller* Künste nötig ist; jetzt komme ich zu den besonderen Aspekten, die für die Kunst des Liebens entscheidend sind. Entsprechend meinen Ausführungen über das Wesen der Liebe ist die Hauptbedingung für die Fähigkeit, lieben zu können, das *Überwinden* des eigenen *Narzißmus*. Die narzißtische Orientierung ist eine Haltung, in der man nur die inneren Vorgänge, vor allem Begierden und Ängste als wirklich erlebt; die Phänomene der Umwelt besitzen an sich keine Realität, sondern werden nur vom Standpunkt ihrer Nützlichkeit oder Gefährlichkeit für den Betreffenden erlebt. Das Gegenteil zum Narzißmus ist Objektivität; sie ist das Vermögen, zu Menschen und Dingen geöffnet zu sein, sie so zu sehen, wie sie an und für sich sind. Objektivität in diesem Sinn ist der Realismus, der von der

Oberfläche zum Kern der Erscheinung vordringt. Sie beruht, im Gegensatz zum Narzißmus, nicht auf Beziehungslosigkeit, sondern auf der intensivsten Bezogenheit. Alle Formen der Psychose sind extreme Formen der Unfähigkeit zur Objektivität, in diesem Sinne des bezogenen Geöffnetseins. Für den Geisteskranken liegt die einzige Realität, die überhaupt existiert, innerhalb seiner selbst: die seiner Ängste und Triebe. Die Umwelt ist für ihn lediglich Symbol seiner Innenwelt, ist nur seine Schöpfung. Etwas Ähnliches geschieht mit uns allen, wenn wir träumen. Im Traum wird das konkrete Ereignis zum Symbol innerer Vorgänge, und doch sind wir im Schlaf überzeugt, daß das Produkt unserer Träume genauso wirklich ist wie die Wirklichkeit, die wir im wachen Zustand wahrnehmen.

Aber der Traum und die Geisteskrankheit sind nur extreme Fälle des Mangels an Objektivität. Jeder von uns hat von der Welt ein unobjektives Bild — eines, das durch unsere narzißtische Orientierung verzerrt ist. Muß ich dafür Beispiele anführen? Jeder findet sie mit Leichtigkeit, wenn er sich selbst und seine Nachbarn beobachtet oder wenn er Zeitungen liest. Sie variieren allerdings im Grad der narzißtischen Wirklichkeitsverzerrung. Eine Frau zum Beispiel ruft ihren Arzt an und sagt, daß sie gern am gleichen Nachmittag in seine Sprechstunde kommen würde. Der Arzt erwidert, daß er an diesem Nachmittag keine Zeit habe, daß er sie jedoch am folgenden Nachmittag sehen könne. Ihre Antwort lautet: Aber Herr Doktor, ich wohne doch nur fünf Minuten von Ihnen entfernt! Sie kann nicht begreifen, daß es *für ihn* keine Zeitersparnis bedeutet, wenn die Entfernung nur kurz ist. Sie erlebt die

Situation narzißtisch: Da *sie* Zeit spart, spart *er* ebenfalls Zeit. Die einzige Realität ist für sie das eigene Ich.

Weniger extrem — oder vielleicht auch nur weniger deutlich — sind die Verzerrungen, die in den zwischenmenschlichen Beziehungen üblich sind. Wie viele Eltern sind in erster Linie daran interessiert, ob ihre Kinder gehorsam sind oder ihnen Freude bereiten und so weiter, statt sich dafür zu interessieren, was und wie das Kind selbst — und nicht mit Bezug auf sie, erlebt. Wie viele Ehemänner meinen, ihre Frauen seien tyrannisch, weil sie durch ihre eigene infantile Bindung an die Mutter jede Forderung der Frau als Einschränkung ihrer »Freiheit« auslegen. Wie viele Frauen halten ihre Männer für untüchtig oder schwach, weil diese nicht jener phantastischen Vorstellung von einem strahlenden Ritter entsprechen, die sie sich als Kind gemacht haben!

Der Mangel an Objektivität im Hinblick auf fremde Nationen ist noch häufiger — und gefährlicher. Von einem Tag zum anderen wird eine andere Nation als gemein und feindselig empfunden, während die eigene Nation all das verkörpert, was gut und edel ist. Jede Handlung des Feindes wird mit dem einen, jede eigene Handlung mit dem anderen Maß gemessen. Selbst gute Taten des Feindes gelten als Zeichen seiner besonderen Bösartigkeit und sollen nur uns und die Welt täuschen, während die eigenen schlechten Taten durch die edlen Ziele, denen sie dienen, gerechtfertigt werden. Wenn man das Verhältnis zwischen den Nationen wie auch zwischen den Menschen überprüft, so kommt man tatsächlich zu dem Schluß, daß Objektivität die Ausnahme und ein mehr oder weniger großes Maß an narzißtischer Verzerrung die Regel ist.

Das Vermögen, objektiv zu *denken,* ist *Vernunft;* das hinter der Vernunft stehende Gefühl ist *Demut.* Objektiv zu sein und die eigene Vernunft zu gebrauchen ist nur dann möglich, wenn man sich von der Illusion der eigenen Allwissenheit und Allmacht, die man als Kind hatte, gelöst hat.

Im Hinblick auf unser Thema — die Praxis der Kunst des Liebens — bedeutet dies: Die Liebe ist vom relativen Fehlen des Narzißmus abhängig und erfordert die Entwicklung von Demut, Objektivität und Vernunft. Diesem Ziel muß man das ganze Leben widmen. Demut und Objektivität lassen sich ebensowenig auf gewisse Sphären des Lebens beschränken wie die Liebe. Ich kann meiner Familie gegenüber nicht wahrhaft objektiv sein, wenn ich es dem Fremden gegenüber nicht sein kann — und umgekehrt. Wenn ich die Kunst des Liebens erlernen möchte, muß ich mich in jeder Situation um Objektivität bemühen und jenen Situationen gegenüber aufmerksam und wach sein, in denen ich nicht objektiv bin. Ich muß versuchen, den Unterschied zwischen *meinem* narzißtisch verzerrten Bild von einer Person und ihrem Verhalten von der *Realität* jener Person zu erkennen, wie sie ungeachtet meiner Interessen, Nöte und Ängste existiert. Die Fähigkeit zur Objektivität und Vernunft ist eine entscheidende Bedingung der Kunst des Liebens; diese Fähigkeit muß sich jedoch auf jeden erstrecken, mit dem man Kontakt bekommt. Wenn man seine Objektivität nur dem geliebten Menschen gegenüber vorbehalten will und glaubt, sie im Verhältnis zur übrigen Welt nicht zu brauchen, wird man sehr bald feststellen, daß man nicht nur hier, sondern auch dort versagt.

Die Fähigkeit des Liebens ist von unserem Vermögen abhängig, erwachsen zu werden und in unserem Verhältnis zur Welt sowie zu uns selbst eine schöpferische Orientierung zu entwickeln. Dieser Vorgang des Sichlösens, des Geborenwerdens, des Erwachens, erfordert als notwendige Bedingung eine weitere Eigenschaft: Glauben. Liebe ist im Glauben gegründet.

Was ist Glaube? Ist es notwendigerweise eine Sache des Glaubens an Gott oder an religiöse Doktrinen? Steht Glaube im Gegensatz zu Vernunft und rationalem Denken? Ist es vielleicht nur ein schlecht fundiertes Wissen, das nicht bewiesen werden kann? Zunächst einmal sollte man zwischen *rationalem* und *irrationalem Glauben* unterscheiden. Unter irrationalem Glauben verstehe ich den Glauben (an eine Person oder an eine Idee), der auf der Unterwerfung unter eine irrationale Autorität beruht. Im Gegensatz dazu ist rationaler Glaube eine Überzeugung, die im eigenen Denk- oder Gefühlserlebnis wurzelt. Rationaler Glaube ist in erster Linie nicht der Glaube *an* etwas, sondern die Gewißheit und Festigkeit, die der auf dem eigenen echten Erlebnis gegründeten Überzeugung eigen ist. Glaube ist ein Charakterzug der Gesamtpersönlichkeit, und nicht etwas, was sich auf bestimmte, als wahr hingenommene Gedankeninhalte bezieht.[2]

Rationaler Glaube ist in der schöpferischen, intellektuellen und affektiven Aktivität verwurzelt. Im rationalen Denken, in dem für Glauben angeblich kein Platz ist, bil-

[2] Diese Auffassung entspricht der Urbedeutung des alttestamentarischen Begriffes des Glaubens. Im Hebräischen ist das Äquivalent für Glaube = Emunah, was »Gewißheit« bedeutet. (Wenn wir »Amen« sagen, so sagen wir nichts anderes als »gewiß«.)

det der rationale Glaube eine wichtige Komponente. Wie kommt zum Beispiel der Wissenschaftler zu einer neuen Entdeckung? Beginnt er damit, daß er ein Experiment nach dem anderen macht, eine Tatsache nach der anderen zusammenträgt, ohne eine Vorstellung von dem zu haben, was er entdecken will? Nur selten ist eine wirklich bedeutende Entdeckung auf irgendeinem Gebiet so zustande gekommen. Der Vorgang des schöpferischen Denkens beginnt auf jedem Gebiet des menschlichen Strebens häufig mit dem, was man als »rationale Intuition« bezeichnen könnte — als dem Ergebnis umfassender vorhergegangener Studien, kritischen Denkens und Beobachtung.

Die Geschichte der Wissenschaft ist voll von Beispielen für den Glauben in die Vernunft und für rationale Intuition. Kopernikus, Kepler, Galilei und Newton waren von einem unerschütterlichen Glauben in die Vernunft erfüllt. Für diesen Glauben wurde Bruno auf dem Scheiterhaufen verbrannt und wurde Spinoza aus seiner Glaubensgemeinschaft ausgestoßen. Bei jedem Schritt von der Konzeption einer rationalen Vision bis zur Formulierung einer Theorie ist Glaube nötig: Glaube in die Vision als ein rational erstrebenswertes Ziel sowie Glaube in die Hypothese oder Theorie, solange sie noch nicht allgemeine Anerkennung gefunden hat. Dieser Glaube wurzelt im eigenen Erlebnis, der Überzeugung von der Kraft der eigenen Gedanken, Beobachtungen und Urteile. Während irrationaler Glaube bedeutet, etwas deswegen als wahr anzunehmen, *weil* eine Autorität oder die Mehrheit es behauptet, entspringt rationaler Glaube aus der unabhängigen Überzeugung, die auf eigenem schöpferischen Beobachten und Denken beruht — *trotz* der Meinung der Mehrheit.

Denken und Urteilen sind nicht die einzigen Gebiete des Erlebens, in denen sich rationaler Glaube äußert. In der Sphäre der menschlichen Beziehungen ist Glaube eine unerläßliche Eigenschaft der echten Freundschaft oder Liebe. Glauben in einen Menschen haben bedeutet, der Zuverlässigkeit und Unveränderlichkeit seiner grundlegenden Haltung, des Kerns seiner Persönlichkeit oder seiner Liebe gewiß zu sein. Damit meine ich nicht, daß ein Mensch, an den ich glaube, seine Meinung nicht ändern dürfe, sondern daß seine grundlegenden Motive die gleichen bleiben, daß zum Beispiel sein Respekt für Leben und Menschenwürde ein Teil seiner selbst und keiner Veränderung unterworfen ist.

Im gleichen Sinne haben wir Glauben in uns selbst. Wir sind der Existenz eines Selbst, eines Kernes in unserer Persönlichkeit gewahr, der unveränderlich ist und der während unseres ganzen Lebens — trotz sich ändernder Umstände und ungeachtet gewisser Veränderungen in Ansicht und Gefühl — besteht. Dieser Kern ist die Wirklichkeit hinter dem Wort »ich«, und auf ihm beruht unsere Überzeugung von der eigenen Identität. Wenn wir keinen Glauben in dieses Selbst haben, ist unser Gefühl der Identität bedroht und werden wir von anderen Menschen abhängig, deren Billigung dann zur Grundlage unseres Identitätserlebnisses wird. Nur der Mensch, der Glaube in sich selbst hat, ist fähig, anderen treu zu sein, weil allein er sicher sein kann, daß er in der Zukunft der gleiche sein wird wie heute und daß er daher auch später genauso fühlen und handeln wird, wie er es heute verspricht. Glaube zu sich selbst ist eine Vorbedingung für unsere Fähigkeit, zu versprechen, und wenn der Mensch, wie

Nietzsche sagt, durch seine Fähigkeit zu versprechen definiert werden kann, ist der Glaube eine Bedingung der menschlichen Existenz. Was die Liebe anlangt, ist der Glaube in die eigene Liebe, in ihre Fähigkeit, bei anderen Liebe hervorzurufen, und in ihre Zuverlässigkeit eine ihrer Grundbedingungen.

Ein anderer Aspekt des Glaubens in andere bezieht sich auf den Glauben, den wir in die *Möglichkeiten* des anderen haben. Die elementarste Form, in der dieser Glaube besteht, ist der Glaube, den die Mutter in ihr neugeborenes Kind hat: daß es leben, wachsen, laufen und sprechen wird. In dieser Hinsicht läuft die Entwicklung eines Kindes jedoch mit so großer Regelmäßigkeit ab, daß diese Erwartungen keinen Glauben zu erfordern scheinen. Anders ist es bei jenen Möglichkeiten, bei denen es nicht gesagt ist, ob sie sich überhaupt entwickeln: die Möglichkeiten des Kindes zu lieben, glücklich zu sein, seine Vernunft zu entwickeln und schließlich besondere Möglichkeiten, wie künstlerische oder intellektuelle Begabungen. Sie sind die Saat, die heranwächst und erkennbar wird, wenn die Bedingungen für ihre Entwicklung gegeben sind — die jedoch genausogut verdorren kann, wenn die entsprechenden Bedingungen fehlen.

Zu den wichtigsten dieser Bedingungen gehört, daß der Mensch, der im Leben des Kindes eine bedeutende Rolle spielt, Glaube in diese Möglichkeiten hat. Das Vorhandensein dieses Glauben bildet den Unterschied zwischen »Erziehung« und »Beeinflussung«. Erziehung ist identisch mit der Aufgabe, dem Kind bei der Verwirklichung seiner Möglichkeiten zu helfen. Das Gegenteil von Erziehung ist Beeinflussung, die auf dem Fehlen von Glauben in das

Vorhandensein und die Entwicklung der Möglichkeiten und auf der Überzeugung beruht, daß ein Kind nur dann zu einem ordentlichen Menschen wird, wenn die Erwachsenen in das Kind hineinpflanzen, was wünschenswert ist, und unterdrücken, was nicht wünschenswert zu sein scheint. In einen Roboter braucht man keinen Glauben zu haben, da in ihm kein Leben ist, das sich entfaltet.

Der Glaube in andere hat seinen Höhepunkt im Glauben in die *Menschheit*. In der westlichen Welt fand dieser Glaube seinen Ausdruck in religiöser Sprache im jüdisch-christlichen Denken; in weltlicher Sprache fand er seinen stärksten Ausdruck in den humanistischen, politischen und sozialen Ideen der letzten hundertfünfzig Jahre. Wie der Glaube in das Kind, beruht auch dieser Glaube an die Menschheit auf der Vorstellung, daß die Möglichkeiten des Menschen so sind, daß er unter entsprechenden Bedingungen fähig sein wird, eine von den Prinzipien der Gleichheit, Gerechtigkeit und Liebe getragene gesellschaftliche Ordnung aufzubauen. Bis jetzt hat der Mensch es nicht erreicht, diese Ordnung aufzubauen, und daher erfordert die Überzeugung, daß er es doch könne, Glauben. Aber wie bei jedem rationalen Glauben ist auch dieser kein Wunschdenken; vielmehr beruht er auf der Tatsache der bisherigen Entwicklung der Menschheit sowie auf dem inneren Erlebnis jedes Einzelnen, auf dem eigenen Erlebnis der Vernunft und der Liebe.

Während der irrationale Glaube in der Unterwerfung unter eine Macht wurzelt, die als überwältigend stark, allwissend und allmächtig empfunden wird sowie in der Abdankung der eigenen Kraft und Stärke, beruht der rationale Glaube auf dem gegenteiligen Erlebnis. Wir haben Glauben in einen Gedanken, weil er das Ergebnis unserer *eigenen* Beobachtungen und unseres *eigenen* Denkens ist. Wir haben Glauben in die eigenen Möglichkeiten wie auch in die Möglichkeiten anderer und der Menschheit in dem Grade, in dem wir die Realität unseres eigenen Wachseins und Reifens erlebt haben. *Die Grundlage des rationalen Glaubens ist unsere eigene Produktivität.* Im Glauben zu leben, heißt schöpferisch zu leben. Daraus folgt, daß der »Glaube« an die Macht — im Sinne von Beherrschung — und der Gebrauch der Macht das Gegenteil des Glaubens sind. Der »Glaube« an die jeweils existierenden Mächte, eben *weil* sie existieren, ist identisch mit dem Unglauben an die Entwicklung jener Möglichkeiten, die noch nicht verwirklicht sind. Er ist die Vorhersage der Zukunft, die auf der unveränderten Fortdauer des gegenwärtigen Zustandes beruht; es stellt sich jedoch immer heraus, daß diese Voraussagen Fehlschlüsse sind, weil sie das Wachstum der menschlichen Möglichkeiten ignorieren. Es gibt keinen Glauben an die Macht. Es gibt nur die Unterwerfung unter sie oder — auf seiten derer, die sie haben — den Wunsch, sie zu behalten. Während Macht für viele Menschen das realste aller Dinge zu sein scheint, beweist die Geschichte, daß sie die unsicherste und vorübergehendste aller menschlichen Errungenschaften ist. Auf Grund der Tatsache, daß Glaube und Macht einander ausschließen, werden alle religiösen und politischen Systeme, die ursprünglich auf rationalem Glauben errichtet wurden, korrupt und verlieren schließlich die innere Stärke, wenn sie sich auf die Macht verlassen oder sich mit ihr verbünden.

Glauben zu haben erfordert *Mut*, die Fähigkeit also, ein Risiko auf sich zu nehmen und bereit zu sein, Schmerzen und Enttäuschungen zu ertragen. Wer auf Sicherheit und Sorgenfreiheit als primären Lebensbedingungen beharrt, kann niemals Glauben haben; wer sich in einem System einschließt, bei dem Distanz und Besitz Mittel der Sicherheit sind, macht sich selbst zum Gefangenen.

Dieser Mut ist sehr verschieden von dem Mut, von dem der Prahlhans Mussolini sprach, als er sich mit dem Slogan »Gefährlich leben« brüstete. Seine Art Mut war der Mut des Nihilismus. Er stammt aus einer destruktiven Lebenshaltung, aus der Bereitwilligkeit, das Leben wegzuwerfen, weil man nicht fähig ist, es zu lieben. Der Mut der Verzweiflung ist das Gegenteil vom Mut der Liebe, wie auch das Vertrauen in die Macht das Gegenteil vom Vertrauen in die Liebe ist.

Kann man sich im Glauben und Mut üben? Glauben kann man in jedem einzelnen Augenblick üben. Man braucht Glauben, um ein Kind aufzuziehen; man braucht Glauben, um einzuschlafen, und Glauben, um irgendeine Arbeit anzufangen. Es ist nur so, daß wir an diese Art von Glauben schon gewöhnt sind. Wer ihn nicht hat, leidet an Überängstlichkeit für sein Kind, an Schlaflosigkeit oder an der Unfähigkeit, irgendeine schöpferische Arbeit zu tun; oder er ist argwöhnisch, unfähig anderen nahe zu sein, schwermütig oder nicht in der Lage, langfristige Pläne zu machen. Zu dem eigenen Urteil über einen Menschen zu stehen, wenn die allgemeine Meinung oder irgendwelche unvorhergesehenen Tatsachen es zu entkräften scheinen, zu der eigenen Überzeugung zu stehen, auch wenn sie unpopulär ist — das erfordert Glauben und Mut. Die Schwierigkeiten, Rückschläge und Sorgen des Lebens als eine Herausforderung zu nehmen, deren Überwindung uns stärker macht — das erfordert ebenfalls Glauben und Mut.

Das Sich-Üben in Glauben und Mut beginnt bei den kleinen Einzelheiten des täglichen Lebens. Der erste Schritt besteht darin, zu erkennen, wo und wann man den Glauben verliert, die Rationalisierungen zu durchschauen, mit denen der Verlust des Glaubens überdeckt werden soll, und zu erkennen, wo man feige gehandelt hat und welcher Rationalisierungen man sich hier bedient; ferner zu erkennen, daß jeder Selbstbetrug einen schwächt und daß zunehmende Schwäche zu neuem Selbstbetrug führt und so weiter in einem immer tiefer zum Unglauben führenden Kreislauf. Dann wird man auch erkennen, daß man, während man sich *bewußt* davor fürchtet, nicht geliebt zu werden, in Wirklichkeit und *unbewußt* fürchtet zu *lieben*. Einen Menschen zu lieben heißt, sich selbst zu geben, ohne eine »Sicherheit« der Gegenliebe zu haben, aber im Glauben, daß die eigene Liebe in dem geliebten Menschen Liebe hervorrufen wird. Liebe ist ein Akt des Glaubens, und wer nur wenig Glauben hat, hat auch nur wenig Liebe. Kann man mehr über das Sich-Üben im Glauben sagen? Manche können es vielleicht; wäre ich Dichter oder Philosoph, würde ich es versuchen. Da ich jedoch weder das eine noch das andere bin, kann ich nicht einmal versuchen, mehr darüber zu sagen. Ich bin sicher, daß jeder, der es möchte, genauso lernen kann, Glauben zu haben, wie ein Kind das Laufen lernt.

Eine Haltung, die von der Ausübung der Kunst des Liebens untrennbar ist, wurde bisher nur kurz erwähnt und soll jetzt ausführlicher behandelt werden: *Aktivität.* Ich habe vorhin bereits gesagt, daß mit »Aktivität« nicht gemeint ist, daß irgend etwas »getan« wird, sondern daß damit die innere Aktivität, der schöpferische Gebrauch der eigenen Kräfte gemeint ist. Liebe ist eine Aktivität; wenn ich liebe, bin ich aktiv bezogen auf die geliebte Person, und nicht nur auf sie; denn ich würde unfähig sein, mich aktiv auf die geliebte Person zu beziehen, wenn ich träge wäre und mich nicht in einem dauernden Zustand von Wachheit, Geöffnetheit und Aktivität befände. Der Schlaf ist die einzige Situation, die der Inaktivität entspricht; für die meisten Menschen gilt jedoch die paradoxe Situation, daß sie halb schlafen, wenn sie wach zu sein meinen, und halb wach sind, wenn sie schlafen wollen. Völlig wach zu sein heißt, sich oder andere nicht zu langweilen — und sich oder den anderen nicht zu langweilen ist eine Grundbedingung für die Liebe. Wach zu sein im Denken und Fühlen, im Sehen und Hören, aufmerksam und geöffnet zu sein ist eine unerläßliche Bedingung für die Kunst des Liebens. Es ist eine Illusion zu glauben, man könne sein Leben so aufteilen, daß man in der Sphäre der Liebe zwar schöpferisch, in allen anderen Sphären jedoch unschöpferisch sein kann. Es liegt im Wesen der Produktivität, daß sie keine derartige Arbeitsteilung erlaubt. Die Fähigkeit zum Lieben verlangt Intensität, Wachheit und gesteigerte Vitalität, und sie kann man nur durch schöpferische und aktive Haltung auf vielen anderen Lebensgebieten erreichen. Wenn man in anderen Sphären nicht produktiv ist, wird man es in der Liebe auch nicht sein.

Wie wir schon oben angeführt haben, ist die Liebe zu *einer* geliebten Person und die Liebe zum Nächsten nicht voneinander zu trennen. Dies heißt aber auch, daß die Fähigkeit zu lieben nicht nur von individuellen Faktoren abhängt, sondern von der zwischenmenschlichen Atmosphäre, wie sie in einer Gesellschaft existiert, und das heißt wiederum von der gesamten Struktur und Lebenspraxis einer Gesellschaft. Wie steht es mit der Nächstenliebe in unserer Gesellschaft? Während wir viel von ihr reden, ist sie in Wirklichkeit eine seltene Erscheinung. Wie könnte es auch anders sein in einem gesellschaftlichen System, das auf dem Egoismus und der Konkurrenz aufgebaut ist? Unsere Beziehung zum Mitmenschen ist selten die der Liebe und im besten Fall, wenn auch nicht so selten, von dem Grundsatz der *Fairneß* bestimmt. Fairneß bedeutet, beim Austausch von Waren und Dienstleistungen keinen Betrug und keine Gaunerei zu begehen, und dasselbe gilt für den Austausch von Gefühlen. »Was du mir gibst, gebe ich dir« lautet in der kapitalistischen Gesellschaft die vorherrschende ethische Maxime sowohl für Waren als auch für Liebe. Man könnte sogar sagen, daß die Entwicklung einer Moral der Fairneß der besondere ethische Beitrag der kapitalistischen Gesellschaft ist.

Die Gründe für diese Tatsache liegen im Wesen der kapitalistischen Gesellschaft begründet. In den vorkapitalistischen Gesellschaften wurde der Warenaustausch entweder von unmittelbarem Zwang, von der Tradition oder von den persönlichen Bindungen der Liebe oder Freundschaft bestimmt. Im Kapitalismus bildet der Austausch auf dem Markt den alles bestimmenden Faktor. Ob wir es mit dem Warenmarkt, dem Arbeitsmarkt oder dem Markt für Dienstleistungen zu tun haben — jeder tauscht das, was er besitzt, gegen das ein, was er den Marktbedingungen entsprechend erwerben will, und zwar ohne Betrug oder Gewalt.

Die Moral der Fairneß wird leicht verwechselt mit der Norm: »Was du nicht willst, das man dir tu, das füg auch keinem andern zu.« Sie kann so ausgelegt werden, als bedeute sie: »Seid fair in eurem Handel mit anderen.« In Wirklichkeit wurde sie jedoch ursprünglich als eine mehr populäre Version des biblischen »Liebe deinen Nächsten« formuliert. Und tatsächlich unterscheidet sich die jüdisch-christliche Norm der Nächstenliebe völlig von der Moral der Fairneß. Sie bedeutet, den Nächsten zu lieben, das heißt sich für ihn verantwortlich und mit ihm eins zu fühlen; die Moral der Fairneß dagegen bedeutet, sich *nicht* verantwortlich und eins zu fühlen, sondern als getrennt — also die Rechte des Nächsten zwar zu *respektieren*, nicht jedoch ihn zu lieben. Es ist kein Zufall, daß die neutestamentarische Norm zu der populärsten religiösen Maxime unserer Zeit geworden ist; im Sinne der Moral der Fairneß ausgelegt, ist sie nämlich die einzige religiöse Maxime, die jeder versteht und die zu befolgen viele bereit sind. Das Verständnis der Liebe muß jedoch mit dem Erkennen des Unterschiedes zwischen Fairneß und Liebe beginnen.

Hier erhebt sich eine wichtige Frage. Wenn unsere gesamte gesellschaftliche und wirtschaftliche Organisation darauf beruht, daß jeder auf seinen eigenen Vorteil bedacht ist, wenn sie von dem Prinzip des Egoismus beherrscht wird, der nur durch die Moral der Fairneß in Schranken gehalten wird — wie kann man dann innerhalb des Rahmens unserer bestehenden Gesellschaftsordnung überhaupt leben und gleichzeitig Liebe üben? Bedeutet denn das nicht, alle weltlichen Interessen aufzugeben und in völliger Armut zu leben? Diese Frage wurde auf radikale Weise von den christlichen Mönchen wie auch von Menschen wie Tolstoi und Simone Weil beantwortet. Es gibt andere, die die Ansicht vertreten, innerhalb unserer Gesellschaft seien Liebe und weltliches Leben grundsätzlich unvereinbar, so daß von der Liebe zu reden, heute nur ein Mitmachen am allgemeinen Betrug darstelle; sie glauben, daß nur ein Märtyrer oder ein Verrückter in der Welt von heute lieben könne und daß daher die Diskussion der Liebe nichts als leeres Predigen sei. Dieser zwar sehr respektable Standpunkt ist aber häufig nur eine Rationalisierung des eigenen Zynismus und der eigenen Unfähigkeit zur Liebe. Dieser »Radikalismus« endet im moralischen Nihilismus.

Ich bin der Überzeugung, daß die Antwort von der *absoluten* Unvereinbarkeit von Liebe und »normalem« Leben nur in einem abstrakten Sinne richtig ist. Das *Prinzip*, das der kapitalistischen Gesellschaft zugrunde liegt, und das Prinzip der Liebe sind in der Tat unvereinbar. Aber konkret betrachtet ist die moderne Gesellschaft ein komplexes Phänomen. Der Verkäufer einer nutzlosen Ware zum Beispiel wird keinen wirtschaftlichen Erfolg haben, wenn er nicht lügt; ein Handwerker, ein Chemiker oder ein Physiker dagegen können auf ihrem Gebiet tüchtig sein — und doch ehrliche Menschen bleiben. In ähnlicher Weise könnten viele versuchen, Liebe zu üben, ohne ihre wirtschaftliche Tätigkeit aufzugeben. Selbst wenn man anerkennt, daß das Prinzip des Kapitalismus mit dem Prinzip der Liebe unvereinbar ist, muß man zugestehen, daß der Kapitalismus in sich selbst eine so widerspruchsvolle und sich ständig verändernde Struktur hat, die einem noch eine gewisse Nicht-Konformität und persönlichen Spielraum läßt. Es ist eine gefährliche Ausrede — des »radikalen« Denkens sowohl wie des Durchschnittsmenschen —, seinem existentiellen Problem im »hier und jetzt« damit auszuweichen, daß die gesellschaftlichen Umstände als der einzig determinierende Faktor angesehen werden.

Damit möchte ich allerdings nicht den Eindruck erwecken, daß wir damit rechnen können, unser gegenwärtiges Gesellschaftssystem könnte noch unendlich lange fortdauern, und wir könnten trotzdem erwarten, daß sich das Ideal der Nächstenliebe verwirkliche. Menschen, die der Liebe fähig sind, bilden innerhalb des gegenwärtigen Systems eine Ausnahme; die Liebe ist notwendigerweise in der heutigen westlichen Gesellschaft ein seltenes Phänomen — nicht nur, weil viele Tätigkeitsformen keine liebende Haltung erlauben, sondern weil in einer Gesellschaft, deren höchstes Ziel die Produktion und die Konsumtion ist, sich nur der Nicht-Konformist erfolgreich wehren kann. Jene Menschen, die die Liebe ernsthaft als die einzige wahre Antwort auf das Problem der menschlichen Existenz ansehen, müssen also zu dem Schluß kommen, daß in unserer gesellschaftlichen Struktur wichtige und radikale Veränderungen notwendig sind, wenn die Liebe zu einem gesellschaftlichen und nicht nur zu einem sehr vereinzelten, individuellen Phänomen werden soll. Die Richtung solcher Veränderungen kann im Rahmen dieses Buches nur angedeutet werden.[3] Unsere Gesellschaft wird in wachsendem Maße von einer industriellen Bürokratie und von Berufspolitikern geleitet. Die Menschen werden durch Massensuggestion beeinflußt; ihr Ziel ist es,

[3] In meinem Buch *Der heutige Mensch und seine Zukunft*, Frankfurt/Main 1960, habe ich versucht, mich mit diesem Problem ausführlich zu befassen.

mehr zu produzieren und mehr zu konsumieren, und zwar als Selbstzweck. Alle Aktivitäten sind wirtschaftlichen Zielen untergeordnet; die Mittel sind zum Zweck geworden. Der Mensch wird zum Ding, zum Automat: gut genährt, gut gekleidet, aber ohne wirkliche und tiefe Sorge um die Entwicklung seiner spezifisch menschlichen Eigenschaften und Aufgaben. Wenn der Mensch fähig sein soll zu lieben, muß seine Entfaltung das höchste Ziel der Gesellschaft sein. Die Wirtschaftsmaschine muß *ihm* dienen, und nicht umgekehrt. Er muß in die Lage versetzt werden, mit anderen am Erleben und an der Arbeit teilzuhaben, nicht aber — bestenfalls — an den Gewinnen. Die Gesellschaft muß so organisiert werden, daß die soziale, liebende Natur des Menschen nicht von seiner gesellschaftlichen Existenz getrennt, sondern mit ihr vereint wird; daß er nicht von seinen eigenen Kräften entfremdet ist und sie nur in der Anbetung der neuen Götzen — Staat, Produktion, Konsumtion — in vermittelter Form erlebt. Nur in einer Gesellschaft, in der, wie Marx gesagt hat, die volle menschliche Entfaltung des Einzelnen die Bedingung der vollen Entfaltung aller ist, kann auch die Liebe zu einer gesellschaftlich relevanten Haltung werden. Wenn es — wie ich aufzuzeigen versuchte — wahr ist, daß die Liebe die einzig befriedigende Antwort auf das Problem der menschlichen Existenz ist, dann muß jede Gesellschaft, die die Entwicklung der Liebe ausschließt, letzten Endes an ihrem Widerspruch zu den grundlegenden Notwendigkeiten der menschlichen Natur zugrunde gehen. Wenn man von der Liebe spricht, »predigt« man nicht, und zwar aus dem einfachen Grund, weil man von dem tiefsten wirklichen Verlangen spricht, das in jedem menschlichen Wesen liegt.

Daß dieses Verlangen in den Hintergrund gedrängt wurde, bedeutet noch lange nicht, daß es nicht existiert. Das Wesen der Liebe zu analysieren heißt festzustellen, daß sie heute nur selten erlebt wird; es heißt aber auch, die sozialen Bedingungen zu kritisieren, die dafür verantwortlich sind. Der Glaube an die Möglichkeit der Liebe als ein allgemeines und nicht nur ausnahmsweises individuelles Phänomen ist ein rationaler Glaube, der auf der Einsicht in das Wesen des Menschen beruht.

Philipp Miller

Einführung in die Graphologie

Ullstein Buch 4080

Schritt für Schritt, mit viel didaktischem Geschick, führt der Autor in die schwierige Materie der Graphologie ein. An Hand der zahlreichen Schriftproben kann sich auch der ganz Uneingeweihte wertvolle Kenntnisse erwerben. Die Formelemente werden systematisch zerlegt und erklärt. Durch die kompletten Schriftanalysen am Schluß wird der Leser mit der Arbeitsweise des Graphologen bekannt.

ein Ullstein Buch

Erich Franzen

Testpsychologie

neu durchgesehene
und ergänzte Auflage

Ullstein Buch 181

Sind Charakter und Persönlichkeit meßbar? Als die Psychologie sich von der Metaphysik löste und zur Erfahrungswissenschaft entwickelte, begann man den Menschen als einen Teil der Natur anzusehen, der experimentell erfaßt werden konnte.

Forschungen in dieser Richtung haben zu Testverfahren geführt, mit denen man die Intelligenz, den Charakter und die Persönlichkeit eines Menschen zu bestimmen oder zu messen versucht.

Der Verfasser – Professor der Sozialpsychologie an mehreren amerikanischen Universitäten – gibt einen vorzüglich gegliederten Überblick über die Entwicklung der Testpsychologie von ihren Anfängen bis zu den letzten Erkenntnissen in- und ausländischer Wissenschaftler.

 ein Ullstein Buch

Curt Bondy

Einführung in die Psychologie

Ullstein Buch 2644

Diese »Einführung in die Psychologie« ist kein Lehrbuch für Fachpsychologen. Sie ist für Menschen bestimmt, die sich über die Probleme der Psychologie orientieren wollen. Die vorliegende Arbeit ist aus einer Vortragsreihe entstanden, die unter dem Titel »Die Wissenschaft vom Seelenleben« vom Deutschlandfunk gesendet wurde. Sie gibt einen Überblick über die verschiedenen Forschungsgebiete, die Methoden und die Anwendung der Psychologie in der praktischen Arbeit, besonders in der Sozialpädagogik.

ein Ullstein Buch

Daisetz Taitaro Suzuki

Der westliche und der östliche Weg

Ullstein Buch 299

Daisetz Taitaro Suzuki, internationale Autorität auf dem Gebiet des Zen-Buddhismus, untersucht in diesem Buch die mystischen Erfahrungen des Abendlandes am Beispiel Meister Eckeharts und vergleicht sie mit den Aussagen östlicher Mystiker, wie sie vor allem von den Zen-Meistern und den Lehrern des Shin-Buddhismus aufgezeichnet werden. In tiefgreifender Interpretation mit einer Fülle von Zitaten weist er nach, daß sich östliche und westliche Mystik auf gemeinsamem Boden begegnen. Die künstliche Unterscheidung zwischen Zen- wie Shin-Buddhismus und christlichen Lehren ist von geringer Bedeutung gegenüber der Tatsache, daß alle die gleiche fundamentale Einsicht ausdrücken.

 ein Ullstein Buch

Otto Friedrich Bollnow

Wesen und Wandel der Tugenden

Ullstein Buch 209

In den Prägungen der Tugenden und ihrer Gegenspieler, der Laster, spricht sich am tiefsten aus, was eine Zeit am Menschen als groß und was sie als verächtlich empfindet. Aber es scheint, als ob keine Zeit die großen Tugenden der Vergangenheit rein zu bewahren vermag, und der besorgte Moralist sieht im Verblassen der alten Tugenden allgemeinen Verfall der Sitten. Der bekannte Tübinger Philosoph versucht in der behutsamen Analyse der Tugenden – des Fleißes, der Bescheidenheit, der Besonnenheit und Gelassenheit, der Wahrhaftigkeit und Treue, der Gerechtigkeit u. a. – die verborgenen Grundlagen des sittlichen Lebens ans Licht zu heben und einen neuen Einblick in das unergründliche Wesen des Menschen zu finden.

ein Ullstein Buch